CHANTECLER

EDMOND ROSTAND

CHANTECLER

Présentation, notes,
chronologie et bibliographie
par
Philippe BULINGE

GF Flammarion

© Éditions Flammarion, Paris, 2006.
ISBN : 978-2-0807-1271-4

PRÉSENTATION

Pour découvrir enfin *Chantecler*

Un rendez-vous manqué

Que le lecteur nous pardonne de commencer notre propos par un jugement surprenant et peu flatteur pour la pièce, énoncé par une grande majorité des contemporains d'Edmond Rostand, mais repris aussi par de très nombreux biographes du poète : Edmond Rostand, le dramaturge d'un immense succès théâtral, *Cyrano de Bergerac*, qui lui valut le titre officieux de « Roi de Paris [1] » dans les cénacles de la capitale et dont le rôle-titre fait partie de ces rôles qu'un comédien doit jouer dans sa carrière, aurait failli dans la construction de *Chantecler*, ce qui expliquerait l'échec partiel de cette pièce.

Émile Faguet, l'éminent critique littéraire de l'époque, qui reconnaît d'abord de grandes qualités à l'œuvre, la juge ensuite ainsi :

L'exécution fut inférieure à la grandeur de l'idée. La pièce est trop longue. Il y a des moments où elle semble

---

1. André Castelot, *Ensorcelante Sarah Bernhardt*, Librairie académique Perrin, 1973, p. 240.

un peu s'endormir. Il y a des moments où l'idée maîtresse, dont il importait que le lecteur ne fût distrait et ne se détachât jamais, devient un peu indistincte, encore que l'auteur, on le sent à le relire, ne l'abandonne jamais. Il y a un peu de développement facile et, comme déjà dans *L'Aiglon*, l'auteur se laisse aller à cette abondance, à cette effusion et profusion dont il lui est difficile non seulement de se défendre, mais de se défier. Le burlesque, l'esprit de mots, le jeu (les mots et le jeu de mots) qui semblait bien étranger au sujet, sont dans cette pièce plus que toute autre, au contraire, où l'auteur vise à tomber presque sans cesse, soit tendance naturelle, soit précisément parce que le sujet est très sérieux, et que l'auteur en a eu peur, a craint d'ennuyer et a eu recours aux procédés d'amusement qui appartiennent à un autre genre littéraire [1].

Le soir de la générale, le 6 février 1910, et le lendemain, soir de la première, on s'accorde en effet, aussi bien parmi le public, très mondain, que parmi les critiques et les gens de lettres, à souligner la faiblesse des deux derniers actes, et on ne se prive pas de le faire savoir pendant le déroulement de la pièce :

Les beaux vers du lever de soleil furent salués par des applaudissements. Ensuite, cela se gâta, lentement, comme une fête qui hésite et qui tourne mal. Le potager de l'acte trois auquel Rostand avait apporté tous ses soins n'intéressa pas, avec ses rangées de choux et son épouvantail à moineaux ; le défilé de coqs exotiques ennuya. Enfin la satire déplut. Rostand, désespéré, comptait sur le quatrième acte pour sauver la pièce : mais le chœur des crapauds fut tellement sifflé que l'on entendit à peine le chant du rossignol. Il y eut six rappels puis la foule se dispersa [2].

Et pourtant, l'œuvre exerce une réelle fascination, aussi bien qu'une gêne parmi les critiques. On a du

1. Émile Faguet, *La Vie et l'œuvre d'Edmond Rostand*, in *Œuvres complètes*, Paris, Éditions Lafitte, 1911. Nous avons tenu à faire figurer ce texte important dans notre édition de *La Samaritaine. Évangile en trois tableaux, en vers*, L'Harmattan, 2004.
2. Caroline de Margerie, *Edmond Rostand ou le Baiser de la gloire*, Grasset, 1997, p. 197.

mal à en dire du mal parce que, malgré tout, on a tellement de raisons d'en dire du bien ! D'autant plus que *Chantecler* connaît un véritable succès populaire : des centaines de représentations et plusieurs tournées provinciales et internationales sont organisées, auxquelles il faut ajouter une réussite éditoriale comparable à celles de *Cyrano de Bergerac* et de *L'Aiglon*, l'œuvre étant vendue à plus de trois cent mille exemplaires du vivant de l'auteur aux éditions Fasquelle puis Lafitte. Sans compter le tirage très important de *L'Illustration*, revue hebdomadaire qui consacre quatre numéros spéciaux à *Chantecler*, publiant ainsi l'œuvre en exclusivité et la diffusant dans les jours qui suivent la première.

Les gens de lettres vont alors résoudre aisément la contradiction que renferme leur double sentiment : si la pièce semble mal fonctionner à partir du troisième acte, c'est parce qu'il s'agit d'une mauvaise pièce ou, du moins, d'une pièce bien loin du coup de génie de *Cyrano de Bergerac*. Cette fois-ci, la mayonnaise n'a pas pris, le soufflé est retombé, pour utiliser des images que ne renierait pas le pâtissier-poète Ragueneau de *Cyrano de Bergerac*. Mais *Chantecler* a des qualités littéraires et poétiques, notamment à la lecture, qui dépassent le cadre de l'art dramatique. La pièce est une mauvaise pièce, parce qu'elle est avant tout un poème. Rostand, à force de s'accrocher au théâtre en vers, déjà désuet à son époque et qu'il a lui-même remis au goût du jour, aurait fini par ne voir dans cette forme théâtrale que sa dimension poétique.

L'Illustration présente le 19 février 1910 une synthèse des premiers jugements sur la pièce. Chaque critique évoqué – citons pêle-mêle, parmi les plus connus de nous, le futur président du Conseil Léon Blum, Henri de Régnier et Adolphe Brisson – insiste sur la valeur poétique de l'œuvre. Rostand n'est pas un dramaturge : c'est un poète, au sens premier, et les morceaux de bravoure de *Chantecler* sont des poèmes lyriques. Parmi ces critiques, retenons, pour l'exemplarité de son cas, René Doumic. Ce brillant lettré,

qui fut le professeur d'Edmond Rostand au collège
Stanislas, a été le premier à remarquer le jeune poète
lors de la première édition des *Musardises* (1890).
Toujours bienveillant envers son ancien élève, dont il
suit la carrière avec attention – ce qui le dédouane de
tout sentiment revanchard contre Rostand –, René
Doumic, devenu rédacteur à la *Revue des Deux Mondes*,
juge ainsi ce *Chantecler* tant attendu :

> *Chantecler* est un très beau poème lyrique. Dans aucune
> de ses œuvres précédentes, M. Rostand ne s'était montré
> aussi exclusivement poète. [...] Je ne connais, dans tout le
> théâtre de M. Rostand, rien d'aussi émouvant que certains
> morceaux de *Chantecler*. Poète, noblement poète, pure-
> ment poète, M. Rostand l'est ici par la conception générale
> de son œuvre [1].

René Doumic montre alors les limites de cette
conception :

> Il reste que *Chantecler*, tout poème qu'il soit, a été com-
> posé dans la forme d'une pièce de théâtre. Spectateurs,
> nous sommes bien obligés de nous placer au point de vue
> du théâtre. [...] M. Rostand a demandé cette fois au
> théâtre autre chose et plus qu'il ne peut donner. [...] Il a
> forcé les ressources de son art. Le poète a fait violence à
> l'auteur dramatique. L'auteur dramatique n'est pas dimi-
> nué par l'épreuve ; le poète en sort grandi.

Ces différents avis, écrits sur le vif ou quelques
jours seulement après la première, ne seraient que peu
de chose si le jugement ne perdurait à travers le temps.
Plus de vingt ans après, Émile Ripert, qui, contrairement aux contemporains de Rostand et de *Chantecler*,
a pourtant le recul nécessaire, aboutit à une semblable
conclusion en étant plus définitif encore :

> En fait, cette pièce était et reste injouable. C'était une
> gageure théâtrale impossible à soutenir. Rostand s'en est
> tiré avec sa virtuosité habituelle aussi bien que faire se

---

1. *L'Illustration*, n° 3495, 19 février 1910, p. 185.

pouvait ; mais, à l'examiner froidement, on conçoit ses hésitations de huit années […]. Peut-être eût-il mieux valu qu'il ne livrât jamais sur la scène le combat où il était d'avance vaincu, et qu'il considérât simplement, comme nous le voyons aujourd'hui, que *Chantecler* était un grand poème dialogué. À ce titre, on le lira toujours ; on le représentera rarement [1].

Plus près de nous, l'homme de théâtre Jacques Lorcey, qui en 2004 a consacré à Rostand une admirable biographie, sérieuse et bien documentée, se fait lui aussi l'écho de ces divers jugements qui considèrent *Chantecler* à la fois comme un peu moins et un peu plus qu'une grande pièce :

> Bien plus qu'une œuvre dramatique extrêmement diffi-cile à représenter, sinon injouable, *Chantecler* demeure *un poème dialogué*, dont le passage à la scène pose effective-ment à chaque instant une suite de problèmes presque insurmontable. Selon nous, il faudrait, dans un premier temps, pratiquer de sérieuses coupures – lesquelles per-mettraient déjà de réduire une distribution pléthorique, impossible à rémunérer de nos jours. Ensuite, il convien-drait de donner à chaque personnage retenu un habit coloré certes, mais très simple, stylisé, évoquant l'animal par le seul emploi du demi-masque ou de la coiffure… [2].

Jacques Lorcey précise d'ailleurs précédemment :

> Plutôt que de mettre en cause la prestation du créateur, il semble bien évident, aujourd'hui, que ce spectacle […] ne pouvait pas, surtout à cette époque, séduire complète-ment un public habitué à tout autre chose qu'à une féerie allégorique, un poème symboliste, dont l'action, très réduite, mettait en scène des êtres humains plus ou moins bien « déguisés » en animaux sans nulle autre justification qu'une fantaisie de son auteur !

---

1. Émile Ripert, *Edmond Rostand, sa vie et son œuvre* [1930], Hachette, 1968, p. 156.
2. Jacques Lorcey, *Edmond Rostand*, Anglet, Atlantica, 2004, t. II, p. 212. Nous soulignons.

Chantecler est donc un poème. La critique est unanime. On lui refuserait presque la qualité de pièce de théâtre ! Et des animaux, point. Seuls, des humains déguisés.

Les modifications recommandées par Jacques Lorcey ne sont pas anodines. Si l'on devait suivre le biographe de Rostand, et les critiques qu'il a lui-même suivis, on ne pourrait représenter l'œuvre qu'en l'amputant, qu'à la condition d'opérer toutes les transformations nécessaires pour rendre la pièce plus théâtrale. Il faudrait la rétablir dans les limites du champ théâtral que Rostand a lui-même brisées. *Chantecler*, dont la composition fut si longue, dont les dates de représentations, comme nous le verrons, furent sans cesse repoussées, demanderait encore du travail, serait, pour ainsi dire, aussi bien inachevée qu'inaboutie.

Il faut au contraire considérer que la pièce n'est pas mal construite, mais mal comprise, que sa charge poétique, loin d'être une fin en soi, est au service d'une dramaturgie aboutie et réfléchie. La critique et l'histoire littéraires, en effet, se sont jusqu'à présent trop mépris sur l'œuvre d'Edmond Rostand. L'étiquette de romantique, attardé ou non, collée hâtivement sur cet auteur par des critiques littéraires comme Émile Faguet, par exemple, a occulté différents aspects de l'œuvre, dont son originalité, sa créativité, sa spécificité.

Certes, des pièces comme *Cyrano* ou *L'Aiglon* épousent adroitement et subtilement la théorie du drame romantique telle qu'elle a été définie par Victor Hugo dans la Préface de *Cromwell*. Certes, *Chantecler* s'inscrit aussi dans cette lignée, du point de vue dramaturgique. Mais si *Chantecler* est une pièce romantique, elle est aussi un peu plus que cela : contrairement à *Cyrano* et à *L'Aiglon*, elle n'a pas de portée historique, son cadre spatio-temporel ne permet pas un bond dans le temps. Contrairement aux drames romantiques, elle ne met pas en scène des hommes. Il s'agit d'une histoire qui se veut atemporelle et qui est jouée, dans la basse-cour d'une ferme comme il y en a tant chez nous, par des animaux...

La méprise du public et de la critique, le soir de la générale, était donc bien prévisible. On attendait ce que l'on croyait être du Rostand. On a eu du Rostand, mais un Rostand idéaliste, que l'on n'avait pas su découvrir avant *Chantecler* et que l'on ne reconnut pas, malgré la mise en scène originale et avant-gardiste de l'auteur qui la servait admirablement – ou à cause d'elle, peut-être.

L'art de la mise en scène : Edmond Rostand, disciple d'Antoine

Entre la première génération romantique, incarnée par Victor Hugo et *Hernani* (1830), et celle d'Edmond Rostand, la mise en scène, peu à peu, est devenue un art. Elle fut longtemps réduite à sa plus simple expression par le théâtre classique et les premiers romantiques : les décors étaient peints, sans relief, représentant aussi bien des paysages que des meubles ou des objets... Elle n'était alors qu'une mise en place des comédiens sur le plateau, comédiens souvent statiques, n'interagissant jamais, ou presque, avec le décor. Le terme même de « metteur en scène » n'existait pas. La mise en scène était assumée soit par l'auteur lui-même, s'il avait la chance d'être encore vivant, soit par le directeur du théâtre ou encore par le comédien principal dans le cadre d'une pièce du répertoire. Mais l'importance des uns et des autres influait aussi grandement sur la mise en scène : un jeune auteur se mettait un peu en retrait devant un vieux briscard de la scène, un directeur renommé ou un comédien à la carrière bien établie.

Deux hommes, avant Rostand, ont cependant donné un nouveau souffle à l'art de la mise en scène. Il y eut tout d'abord, dès les années 1850, Montigny, le directeur du théâtre du Gymnase, dont les innovations, qui peuvent paraître mineures, furent en réalité déterminantes. Agnès Pierron, évoquant cette révolution scénique, en précise la nature :

> Montigny, directeur du théâtre du Gymnase, avait rompu avec les vieilles lunes du théâtre : il incite les acteurs à se regarder quand ils se donnent la réplique, au lieu de rester alignés en rang d'oignons le long de la rampe. Afin de contraindre les acteurs à désapprendre leurs mauvaises habitudes, Montigny demande au machiniste, dès 1853, de placer une grande table au beau milieu de la scène. C'est à lui, aussi, que l'on doit les changements de place des chaises en cours de jeu [1].

Ce fut ensuite André Antoine, dont l'apport est à la mesure de la tâche, au début des années 1890. Pourtant rien ne pouvait laisser supposer que Rostand allait, dans sa pratique théâtrale, devenir son disciple et dépasser le maître.

La recherche universitaire oppose généralement, dans nos savantes histoires de la littérature, l'œuvre d'Edmond Rostand, « dernier fleuron du romantisme [2] », au théâtre naturaliste, théorisé en grande partie par le romancier Émile Zola et qu'André Antoine explora et expérimenta sur scène. Cette opposition qui englobe Rostand dans l'ensemble un peu fourretout du théâtre de Boulevard – opposition déjà bien visible à l'époque, et que les regards un peu trop systémiques de nos critiques littéraires actuels font perdurer –, l'auteur de *Chantecler* n'y prêta jamais que peu d'attention. À mesure que sa carrière avançait, Rostand s'était en effet progressivement isolé du monde littéraire parisien en se réfugiant dans sa villa de Cambo-les-Bains.

Il s'agit-là bien sûr d'un isolement tout relatif : Rostand, qui n'a pas fait école et qui à aucun moment n'a eu cette ambition, a toujours été attentif aux œuvres de ses contemporains, avec qui il a multiplié les

---

1. Agnès Pierron, *Dictionnaire de la langue du théâtre, mots et mœurs du théâtre*, Le Robert, 2002, p. 347.

2. Article « Rostand », *Encyclopædia Universalis*, éd. 1995.

échanges. Quelques extraits de sa correspondance en
témoignent [1] : Jean Cocteau, en 1909, le remercie de
lui avoir adressé des vers pour sa revue *Shéhérazade* ;
tout comme Émile Zola, à qui il a fait parvenir un
volume de *L'Aiglon*, ou encore Jules Renard, l'ami des
débuts parisiens. Sa bienveillance d'auteur renommé
pour des écrivains dont l'œuvre est très différente de
la sienne est plus significative encore : citons le cas de
Marcel Proust, qu'il recommanda à son éditeur, et
celui, plus pathétique, d'Henry Becque, l'auteur de la
pièce réaliste la plus proche peut-être de l'idéal naturaliste, *Les Corbeaux*, que Rostand secourut quand il
se retrouva malade et mourant dans la misère. Pas de
sectarisme, pas de polémique théorique dans l'œuvre
de Rostand, dans ses lettres et interviews, ses dédi-
caces et préfaces, et finalement, une attitude très
saine, une ouverture d'esprit éminemment moderne :
rendre hommage à la valeur artistique d'une œuvre
indépendamment de ses propres conceptions, et profiter des progrès de ceux qui l'ont précédé pour aller
toujours plus loin dans sa propre créativité…

Rostand consacra ainsi à Antoine un discours de
soutien, au début de la Grande Guerre, profitant de
l'occasion pour lui rendre hommage de tout ce qu'il
avait apporté au théâtre, utilisant à son propos les
mots d'« indépendance », de « compétence », de
« volonté ». Antoine, qui fut considéré comme le
premier metteur en scène de l'histoire du théâtre
français, avait créé en 1887 le Théâtre-Libre et
renouvelé l'art dramatique :

> Il est le premier à authentifier la fonction créatrice du
> metteur en scène. Il s'agit de reproduire scrupuleusement
> sur la scène la réalité à l'intérieur de laquelle l'auteur a ins-
> crit son action. D'où un souci des accessoires qui confère
> aux objets une fonction dramatique autonome [2].

---

1. Correspondance exposée notamment à la Villa Arnaga –
musée Edmond-Rostand de Cambo-les-Bains.
2. Voir *Histoire de la littérature française*, dir. Daniel Couty, Larousse,
2002, p. 668.

Certes, les pièces de Rostand sont bien éloignées de celles d'Ibsen ou de Strindberg, si chères à Antoine et que celui-ci fit découvrir au public français. L'inspiration en est différente, comme le choix des thèmes, souvent plus historiques, héroïques et poétiques chez Rostand, plus sociaux et réalistes chez les auteurs du Nord. Mais une telle conception de la fonction de metteur en scène n'est pas sans rappeler l'important travail préparatoire effectué par Rostand pour *Chantecler*, ainsi que le soin, très moderne encore et si surprenant pour ses contemporains, qu'il apporta à monter sa pièce.

Il est d'ailleurs intéressant de constater que c'est précisément dans les années 1896-1897, alors que le Théâtre-Libre semble échouer, faute d'avoir trouvé au théâtre un auteur qui serait le pendant de Zola au roman, que Rostand perce véritablement, avec comme point d'orgue le triomphe de *Cyrano de Bergerac*. Lorsque, peu de temps après, le Théâtre-Libre renaît de ses cendres sous le nom de Théâtre-Antoine, les errances et les tâtonnements des mises en scène des dix années précédentes sont du passé et la méthode Antoine pour monter les pièces, plus aboutie, attire les comédiens de tous les grands théâtres parisiens.

Rostand – il a dix ans de moins qu'Antoine – fait ainsi partie de la génération qui n'a pas eu à essuyer les plâtres de ce renouvellement de l'art dramatique qui toucha tous les courants littéraires. Comme tous les dramaturges de l'époque, il a dû prendre en compte l'apport du Théâtre-Libre – car il y a bien un avant Antoine au théâtre, et un après, que l'on soit naturaliste, symboliste ou romantique. Et il a su pour cela s'accompagner d'un metteur en scène efficace : lui-même.

Le premier grand triomphe de Rostand fut ainsi monté dans un contexte qui n'est pas le nôtre. Il faut à tout prix, en effet, éviter l'écueil qui consisterait à imaginer que les pièces à succès de Rostand étaient représentées à l'époque de la même manière qu'on les représente actuellement. Qui jouerait de nos jours comme Sarah Bernhardt, avec une grandiloquence emphatique poussée à l'extrême, comme Constant Coquelin ou encore Lucien Guitry, les grands premiers rôles rostandiens [1], serait aujourd'hui un piètre comédien. Qui monterait *Cyrano de Bergerac* comme un soir de 1897 serait assuré d'un four, d'un échec. Mais, réciproquement, qui voudrait comprendre et expliquer les œuvres de Rostand sans tenir compte de leurs mises en scène s'exposerait à de profondes méprises – il en va de même, sans doute, pour toutes les études de pièces de théâtre. L'art de la mise en scène est à la fois le résultat d'une évolution de la dramaturgie, et ce qui permet cette évolution. Par exemple, quand les pièces romantiques firent exploser le cadre classique, à commencer par la règle des trois unités, la mise en scène dut évoluer pour tenir compte des changements de décors ; cependant c'est aussi parce que cela était possible techniquement que les romantiques se sont mis à écrire des scènes se déroulant dans des lieux différents.

Mise en scène de Cyrano de Bergerac *(1897)*

Lors de la création de *Cyrano de Bergerac*, dont on n'attend d'abord pas grand-chose dans les travées du théâtre de la Porte-Saint-Martin, accentuant encore la pression artistique et financière qui s'exerce sur lui, Rostand dirige donc la mise en scène.

Il se présente d'abord comme un formidable directeur d'acteurs, ce qui lui permet de gagner l'estime et la confiance de son comédien principal, Constant Coquelin, alors au sommet de son art. Certes, Coquelin était déjà séduit par Rostand – puisqu'il était l'un des associés qui finançaient la pièce –, mais il

---

1. On trouvera sur le CD *Cyrano de Bergerac. Enregistrements historiques 1898-1938* (Frémaux et Associés, 2000) de nombreux enregistrements d'époque des grandes tirades de la pièce.

l'était par son talent d'écrivain : Rostand devait encore faire ses preuves sur les tréteaux. Or quelque temps après le succès de *Cyrano*, Coquelin dira à un journaliste, à propos de Rostand :

> Personne ne jouerait mieux *Cyrano* que lui. Il a tous les artifices de la diction, il les a, avec toutes les finesses, toutes les délicatesses, toutes les profondeurs de la pensée dans l'expression [1].

Jacques Lorcey cite une lettre de Rostand à Coquelin, où l'auteur décompose la longue tirade des « Non, merci », l'un des morceaux de bravoure de la pièce, lettre qui montre bien la nature et la qualité des échanges artistiques entre les deux hommes :

> Je pense qu'il faut commencer tout doucement, de sorte qu'on croie le premier *non merci* tout seul, et qu'on s'étonne d'en voir arriver un second. Puis, à partir du moment où ils se resserrent : *Chez le bon éditeur de Sercy*, etc., presser, presser, et que cela devienne une pluie – jusqu'aux trois derniers dits d'un trait pour détacher sur un brusque changement de voix le : *Mais chanter !...* Et à partir de là un lyrisme tout différent, un chant jusqu'à la fin, avec une reprise de bravoure sur le dernier vers et le : *tout seul* [2] *!...*

Lorsque les répétitions commencent réellement, cette direction se complète d'une formidable débauche d'énergie : Rostand « voit tout, s'occupe de tout, est incapable de négliger le moindre détail [3] », malgré la mauvaise volonté de certains, les frères Fleury en tête – associés de Coquelin, qui veulent des coupures pour réduire le nombre de comédiens –, malgré les difficultés matérielles, des décors qui ne conviennent pas à

---

1. Cité par Jacques Lorcey, *Edmond Rostand*, *op. cit.*, t. I, p. 288.
2. *Ibid.*, p. 286.
3. *Ibid.*, p. 288. Jacques Lorcey, qui cite également une autre lettre de Rostand – où celui-ci, ne pouvant se rendre à la répétition du jour, la dirige à distance –, commente : « On voit ainsi à quel point le moindre détail du texte et de distribution le préoccupe. »

l'auteur, des costumes d'occasion qui ne siéent pas absolument à l'action. Caroline de Margerie résume parfaitement l'activité du poète lors des trois mois de répétitions, d'octobre à décembre 1897 :

> Rostand s'indignait de l'incurie générale puis se reprochait ses propres exigences, doutait, gémissait dans les bras de Coquelin, reprenait courage, se précipitait sur le plateau, dirigeait tout. [...] Il disposait les comédiens tels des pièces sur un échiquier dont il eût seul connu le motif, les entraînait avec des gestes de chef d'orchestre, suppliait, se fâchait [1].

Des détails justement, qui peuvent laisser paraître la mise en scène de l'époque un peu simpliste, parlons-en : Rosemonde Gérard – madame Edmond Rostand –, dont le soutien fut si précieux à son dramaturge de mari, se souvient de la charcuterie censée tenir lieu de décor au deuxième acte :

> L'avant-veille de la générale, il fallut, pour que la rôtisserie prît tout de même l'air d'être un peu vivante, aller chercher de vrais saucissons et un vrai jambon et un vrai pâté pour réveiller ceux qui dormaient sur du carton [2] !

On reconnaît aisément à ce témoignage que l'art de la scène de Rostand ne peut plus se contenter des décors en carton-pâte de ses prédécesseurs : l'œuvre d'Antoine est passée par là ; les objets acquièrent progressivement une réalité sur scène. Antoine, d'ailleurs, avait déjà lui-même accroché, « dans sa passion du détail vrai [...], des quartiers de viande [3] » aux décors.

Rostand s'est ainsi engagé sur une voie qui tend toujours plus à rejoindre celle d'Antoine, voire à la dépasser. L'objet-costume déterminant de la pièce, le

---

1. Caroline de Margerie, *Edmond Rostand ou le Baiser de la gloire*, *op. cit.*, p. 112-113.

2. Rosemonde Gérard, *Edmond Rostand*, Paris, Charpentier-Fasquelle, 1935, p. 13-14.

3. Agnès Pierron, *Dictionnaire de la langue du théâtre, mots et mœurs du théâtre*, *op. cit.*, p. 166.

nez de Cyrano, l'illustre parfaitement. Lorcey rapporte
à ce propos les paroles du fils de Coquelin :

> Un détail de grande importance dans *Cyrano,* c'est le
> nez, ce nez très long, ce nez colossal, avec lequel le héros
> est passé dans l'histoire. Celui de Constant Coquelin était
> un petit bout de nez en trompette. Comment concilier le
> nez de Cyrano et celui de Coquelin ? Un postiche s'impo-
> sait. Mon père essaya plus de cinquante nez de cire, avant
> de trouver la forme définitive [1].

Ce soin du costume qui fait le personnage, nous le
retrouverons démultiplié pour la création de *Chantecler.*

Mise en scène de L'Aiglon *(1900)*

Un détour par *L'Aiglon* s'impose au préalable : cette
fresque romanesque, qui raconte la vie et la mort du
fils de Napoléon, représente une étape déterminante
dans la réflexion scénique de Rostand.

Avec *Cyrano de Bergerac,* et, dans une moindre
mesure les pièces qui ont précédé, *La Princesse Lointaine* et *La Samaritaine,* Rostand s'est frotté à la mise
en scène, parce qu'il était le seul capable de déployer
l'énergie nécessaire pour servir au mieux son texte,
mais également parce que sa conception de la scène
était aussi moderne que sa dramaturgie. Avec *L'Aiglon,*
il va plus loin encore : parallèlement à l'écriture de sa
pièce, il effectue un important travail préparatoire
pour tout ce qui concerne l'élaboration des décors,
recherchant pour la scène une couleur locale qui soit
la plus crédible possible. C'est ainsi qu'il se rend en
Autriche avec Sarah Bernhardt, qui tiendra le rôle-
titre du Duc de Reichstadt, en vue de finaliser cette
préparation :

---

1. Jacques Lorcey, *Edmond Rostand, op. cit.,* p. 290.

À Vienne, près de son interprète préférée à laquelle l'unissent au moins une affectueuse amitié et une admiration réciproque, il va multiplier les excursions, courir les antiquaires pour en ramener gravures, vieilles tenues militaires, armes, chaussures et divers accessoires « indispensables » à la mise en scène de son *Aiglon* [1].

Il est important de préciser dès à présent comment Rostand concevait la couleur locale. Dans un entretien accordé à la suite du succès de *Cyrano de Bergerac* et d'une légère polémique concernant les erreurs possibles de documentation de Rostand, celui-ci affirma :

La couleur locale n'est nullement le résultat d'une menue exactitude, vous le savez aussi bien que moi. Un poète ne met jamais rien au hasard et n'est inexact que quand il le veut [2].

Appliquée à ses recherches autrichiennes, recherches complétées d'une importante documentation sur le cadre historique de la pièce, cette définition de la couleur locale et de ses rapports à la poésie montrent que le travail de mise en scène de Rostand participe déjà, pour *L'Aiglon* plus encore que pour *Cyrano de Bergerac*, *de* et *à* sa création poétique. La couleur locale du texte se trouve renforcée par la couleur locale des décors et des costumes, tandis que la poésie du drame ne peut pleinement s'exprimer que par la poésie des décors et de la mise en scène.

C'est particulièrement vrai du cinquième acte de la pièce, qui se déroule sur la plaine du champ de bataille de Wagram, que représente le décor. Notons d'emblée que cette plaine, Rostand l'a sans doute attentivement visitée lors de son séjour en Autriche, mais l'a aussi connue par le biais des diverses descriptions présentes dans les sources qu'il a consultées. Le Duc de Reichstadt, l'Aiglon, accompagné d'un vieux grognard,

1. *Ibid.*, p. 382.
2. Émile Ripert, *Edmond Rostand, sa vie et son œuvre, op. cit.*, p. 94.

Flambeau, mourant et presque inconscient, voit la plaine où se joua un temps le sort des deux empires français et autrichien, dont il est le fruit, se réveiller peu à peu. Des morts se raniment, des soldats hurlent de douleur, tandis que les charges de cavalerie se succèdent. La bataille se rejoue et se recrée sous les yeux du Duc. À la différence de *Cyrano de Bergerac*, où la bataille est incarnée sur scène, ou d'autres pièces antérieures, comme *Henry V* de Shakespeare, la lutte, dans *L'Aiglon*, n'est pas jouée : à l'exception de Flambeau, qui est à-demi mort, le Duc est seul sur scène. À la différence aussi du *Cid* de Corneille, où Don Rodrigue raconte, et fait revivre ainsi, son farouche combat contre les Maures, le récit de la bataille de Wagram n'est pas uniquement composé de mots : la narration du Duc est en effet renforcée par des effets de mise en scène. Ce que voit le Duc n'est d'abord qu'audible par le public qui peut légitimement se demander, sans jamais pouvoir trancher, si la plaine se réveille réellement ou si ce réveil ne se fait que dans l'esprit de l'Aiglon. Des comédiens, dissimulés dans les coulisses, prêtent leur voix aux soldats, crient et agonisent, tandis que l'on produit, à l'aide de divers procédés que le métier pratique depuis longtemps (feuilles de tôles secouées, par exemple) les bruitages nécessaires à la lutte. Mais peu à peu le champ de bataille se modifie : la plaine se dépossède de sa valeur fantasmagorique et de sa gloriole pour n'être plus qu'une souffrance, un cri poussé en chœur par tous les blessés et mourants de Wagram, avant d'être de nouveau le cadre du glorieux affrontement. Le décor va alors, dans le même mouvement, s'animer et se transformer. La nuit s'achève, le jour point à l'horizon et le doute du spectateur sur la réalité de ce que le Duc perçoit s'accentue, se renforce.

Parmi les nombreuses didascalies qui jalonnent cette scène, celle-ci résume l'ampleur de la tâche qu'a dû surmonter notre metteur en scène :

Dans les ombres blêmissantes qui précèdent l'aube, au grondement d'un orage lointain, sous des nuages bas et noirs qui courent, tout prend une forme effrayante ; des panaches ondulent dans les blés, les talus se hérissent de colbacks fantastiques, un grand coup de vent fait faire aux buissons des gestes inquiétants [1].

D'autres indications scéniques soulignent que les décors procèdent de la création poétique :

Des brumes qui s'envolent semblent galoper. On entend un bruit de chevauchée. [...] Le soleil va paraître. Les nuages sont pleins de pourpres et d'éclairs. Le ciel a l'air d'une Grande Armée [2].

Le lecteur serait certes facilement tenté de croire que Rostand, avec *L'Aiglon*, réitère, après Musset, l'expérience d'un « théâtre à lire dans un fauteuil ». Cela semble d'ailleurs conforté par la forme employée pour écrire les didascalies des débuts d'acte de *Chantecler* (intitulés « Le Décor »), le sonnet. Mais si Alfred de Musset a écrit *Lorenzaccio*, son chef-d'œuvre, pour la lecture, multipliant les personnages et les changements de lieu, multipliant les interactions entre les personnages et les décors, la rendant alors impossible à monter pour la génération romantique, c'est précisément lorsque et parce que la révolution scénique initiée par Antoine se produit et s'impose que l'on va mettre en scène pour la première fois cette pièce, en 1896, un an avant *Cyrano*, quatre avant *L'Aiglon*. Et la directrice de théâtre qui va relever ce défi n'est autre que... Sarah Bernhardt !

Cette dernière, lorsqu'elle produira *L'Aiglon*, devra d'ailleurs réfréner un peu les ardeurs avant-gardistes, du point de vue de la mise en scène, de Rostand. Lors d'une répétition, épisode célèbre rapporté par André Castelot, la reine Sarah se rend compte en récitant l'une de ses répliques qu'il est question de chevaux : Rostand désire en effet qu'elle monte sur un véritable

---

1. *L'Aiglon*, acte V, scène 5.
2. *Ibid.*

cheval tout en disant son texte ! Il faut bien s'imaginer
ce que la présence d'un animal sur les planches, à une
époque où l'on commence à peine à utiliser des accessoires, pouvait avoir de révolutionnaire… Rostand, face
aux difficultés rencontrées, accordera à Sarah cette
entorse à la couleur locale.

La puissance dramaturgique de Musset était en
partie bridée par les insuffisances de l'art de la mise en
scène, et il ne pouvait se débarrasser de cette contrainte
qu'en la détournant. Rostand, lui, dispose de moyens
techniques nouveaux, en ose d'autres ; il est également animé d'une réelle ambition scénique. Si Musset
veut être lu, Rostand veut être joué et l'est, et demande
au théâtre tout ce dont il a besoin pour laisser libre
cours à son inspiration.

Joué, il l'est d'ailleurs merveilleusement, et ce cinquième acte de *L'Aiglon*, si ambitieux, fait dire à Émile
Faguet :

> Mais tout, de *L'Aiglon*, dût-il périr, ce que je suis très loin
> de croire, il resterait l'acte étonnant du champ de bataille de
> Wagram, vision merveilleuse qui porte jusqu'aux dernières
> limites les émotions de terreur et de pitié et de grandeur,
> grand poème épique et tragique à lui tout seul et qui rap-
> pelle à l'esprit, quand on songe à comparer, les plus grands
> noms de la littérature dramatique depuis Eschyle jusqu'à
> Shakespeare. Le plus bel acte tragique de toute la littérature
> romantique française est le cinquième acte de *L'Aiglon*.

Cependant la confusion entre le travail d'écriture et
la mise en scène ne s'arrête pas là. Émile Ripert, de
son côté, indique que la pièce n'est pas achevée
lorsque Rostand part pour l'Autriche :

> Edmond Rostand avait écrit déjà cinq actes de son
> œuvre quand, avant de la terminer, pour se documenter
> sur place, préciser le décor, trouver enfin l'ambiance et
> l'émotion qu'exigeait son sixième acte, il se décida, bien
> qu'il eût horreur des voyages, à partir pour l'Autriche [1].

1. Émile Ripert, *Edmond Rostand, sa vie et son œuvre, op. cit.*, p. 120.

Et c'est en présence des comédiens, en présence des décors et des accessoires, en proie à l'émotion des cinq premiers actes joués devant lui, qu'il écrit le sixième acte.

L'Aiglon est un spectacle, avant d'être un texte.

Chantecler, *un lent processus de création (1910)*

Pour Rostand, la création passe donc par l'écriture mais aussi, conjointement, par la représentation scénique. La pièce s'écrit et s'incarne en même temps : c'est plus vrai et plus évident encore pour *Chantecler*, qui a demandé un très long temps de préparation.

L'idée d'un *Chanteclair* (Rostand, à l'époque, n'est pas encore fixé sur la graphie qu'il adoptera pour le titre) apparaît vraisemblablement au cours de l'année 1902, à la relecture de la pièce *Les Oiseaux* d'Aristophane, du *Roman de Renart*, bien sûr – dont Chantecler est un personnage –, mais aussi d'un long poème de Goethe s'inspirant de ce récit médiéval, *Reineke Fuchs* (« Le Renard »). Rostand a fixé dès cette période ce que sera le *Chantecler* représenté en 1910, du point de vue des intentions, de la tonalité comme de la distribution. Cependant, la pièce faisant suite au succès de *L'Aiglon*, qui l'a usé physiquement et moralement, et à celui de *Cyrano*, Rostand aura toujours plus de mal à se remettre au travail, tant ses doutes sur sa capacité à reproduire de tels chefs-d'œuvre l'envahissent et le paralysent.

En mai 1904, Coquelin pense pouvoir obtenir enfin de son poète le texte de la pièce. Mais en réalité, *Chantecler* est loin d'être achevé : la progression dramatique n'est pas encore en place, Rostand prévoyant vraisemblablement cinq actes – on sait que la pièce jouée n'en comptera que quatre. Les deux premiers actes sont alors présentés comme terminés, de même que les passages essentiels des deux actes suivants ; cependant, Jean Coquelin, venu aux nouvelles, rapporte une version du début de l'acte premier qui ne correspond pas à la version définitive :

> [Rostand] nous lit alors le prologue dans la salle [...] et le rideau se lève, toutes les poules en scène, tournant le dos au public, la tête en l'air, cherchant à suivre encore le vol hautain de l'alouette qui vient de s'envoler, fuir au plus haut du ciel... Et pourquoi ? Parce qu'elle ne peut plus demeurer là où l'on tolère le merle... [1].

En juin 1905, Rostand déclare lui-même à un journaliste que la pièce est quasiment achevée. Début 1908, même discours. Il faudra pourtant attendre le mois de janvier 1909 pour que commencent enfin les répétitions... Pourquoi de si longues années ont-elles été nécessaires à ce projet ? *Cyrano* n'avait demandé que quelques mois à son auteur, *L'Aiglon* une année de travail effectif.

Nous avons déjà donné une indication en évoquant les crises de neurasthénie de Rostand. Mais cette explication, loin d'être négligeable, ne saurait être l'unique ni la plus déterminante, contrairement à ce qu'avancent les biographes de Rostand. L'élaboration de la pièce s'est également faite parallèlement à une autre création, entre 1903 et 1906, bien différente mais tout aussi captivante pour notre poète : celle de la superbe villa Arnaga, à Cambo-les-Bains, près de Biarritz, où Rostand a trouvé les conditions atmosphériques idéales pour sa santé. Il y laisse libre cours à son art de la mise en scène et de la scénographie, architectes, décorateurs et jardiniers suivant les indications du maître. Arnaga représente ainsi l'expression concrète de la dimension scénique de l'œuvre de Rostand. Celui-ci, à la même époque, a en outre travaillé à une seconde version de *La Princesse lointaine* comme à de nombreux poèmes de circonstances.

Mais si *Chantecler* a demandé du temps, c'est surtout parce que Rostand a placé très haut ses exigences.

---

1. *Lettre de Jean Coquelin à son père, Constant Coquelin*, citée par Jacques Lorcey, *Edmond Rostand, op. cit.*, p. 82.

Chantecler : *travaux préparatoires*

Rostand écrit les répliques des personnages au
même rythme qu'il en conçoit les décors et les costumes. Les quelques brouillons de *Chantecler* qui nous
sont parvenus – malheureusement, Rostand avait la
mauvaise habitude de ne pas garder ses manuscrits –
mêlent sur les mêmes pages répliques et croquis des
décors et des costumes. Les comédiens chers à Rostand, Coquelin en tête – le premier Cyrano et celui qui
aurait dû, s'il n'était pas mort trop tôt, être le premier
Chantecler –, viennent plusieurs fois chez lui, dans la
demeure Arnaga, et prennent connaissance des textes
au fur et à mesure que Rostand les écrit et les récite
devant eux.

Rostand a en outre rassemblé, en travail préparatoire à *Chantecler*, une documentation aussi volumi-
neuse qu'impressionnante. Son fils Jean Rostand, le
célèbre biologiste et moraliste, rapporte ainsi que sa
bibliothèque comprenait de nombreux ouvrages
scientifiques, qui faisaient alors référence dans leur
domaine. Il s'agissait entre autres des *Animaux domes-
tiques* de Goos de Voogt, de *L'Ornithologie* de Méné-
gaut, du *Monde des oiseaux* de Toussenel, qui est
nommé dans la pièce, de *L'Origine des espèces* de
Darwin ou encore de *L'Atlas des oiseaux* d'Hamonville.

Et comme si cela ne suffisait pas, Rostand fait
venir des animaux empaillés et crée également à
Arnaga un poulailler, toujours visible, où il rassemble,
outre les poules, pintades et paons nécessaires, toutes
les espèces de coq présentes au troisième acte. Son
but, comme nous l'apprend son fils Jean, est « de voir
vivre en chair et en os les personnages de *Chantecler*[1] ». On pourrait voir dans ce dernier souci une
nouvelle lubie du poète, simplement anecdotique ;
nous préférons y reconnaître au contraire la cohérence
de sa démarche artistique. L'observation en direct et
l'analyse *de visu* du comportement des oiseaux va per-

1. Cité par Jacques Lorcey, *Edmond Rostand, ibid.*, p. 184.

mettre, notamment, la création de costumes réalistes. En effet, dès le début de ses recherches, dès l'émergence de l'idée première de la pièce, il ne fait pas de doute pour Rostand que les costumes des personnages devront non seulement être les plus proches visuellement des animaux qu'ils imiteront, mais aussi permettre des déplacements et des attitudes les plus proches possible de la réalité.

Les costumes réalisés par Edel répondent à cette attente. L'introduction intitulée « Comment Chantecler a été monté », par Serge Basset, au numéro spécial de *L'Illustration* déjà cité, nous fait directement entrer dans ce processus de création. Nous sommes alors en 1908. La pièce n'est pas achevée :

> Edel resta cinq jours à Cambo (Arnaga) : chaque après-midi, le poète lisait un acte à son invité attentif et émerveillé. Après la lecture, il expliquait ses idées en matière de mise en scène, s'aidant de croquis rapidement crayonnés [...]. Edel écoutait et prenait des notes... [1].

Une fois le projet d'Edel accepté par Rostand, le costumier passe à la réalisation :

> Une difficulté se présentait, tout de suite : la tête et les bras. Allait-on laisser leur visage aux artistes – ou les coiffer d'une véritable tête de coq ? Et les bras ? Fallait-il les laisser libres, ou les dissimuler sous les ailes ?... Un comédien jouant sans gestes, était-ce possible ? Coquelin se refusa longtemps à l'admettre.

Rostand utilise alors tout son pouvoir de persuasion pour convaincre le grand comédien d'accepter ce sacrifice. Lucien Guitry, qui remplacera au pied levé Coquelin, décédé, sera également gêné par ce costume et ne cachera pas ses réticences vis-à-vis de la mise en scène. Jacques Lorcey rapporte en anecdote une conversation entre Guitry et son fils, Sacha :

---

1. *L'Illustration, op. cit.*

Guitry avait dit spécialement pour lui l'Hymne au soleil d'une manière admirable, insurpassable. Mais comme Sacha lui en faisait compliment et rendait hommage au texte, Lucien aurait ronchonné : – Oui... Oui... c'est très beau... mais... il fallait se foutre en coq [1] !!!

On peut comprendre aisément et excuser l'exaspération du comédien qui ne pouvait se rendre compte, comme la plupart des critiques et des spectateurs, des apports, des perspectives et du renouvellement qu'une telle mise en scène et qu'un tel costume insufflaient à son jeu. D'autant plus que les bras n'allaient pas être la seule difficulté... Serge Basset évoque également en détail la tête du coq :

La tête du coq à elle seule a demandé des mois de réflexion et de travail. Elle posait une question de première importance. Un cartonnage savamment agencé cacherait-il complètement les traits de l'acteur, réduit à voir par un grillage de fils de fer dissimulé, entre les bajoues, sous le bec ? Ou la tête se composerait-elle seulement du camail, de la crête, de la tête jusqu'au bec sans gorge, de façon à laisser à découvert les traits de l'artiste. M. Edmond Rostand penchait d'abord vers le premier projet. Mais dissimuler le visage de l'interprète, n'était-ce point perdre le bénéfice de ses jeux de physionomie ? [...] Se souvenant que le théâtre repose tout entier sur la convention, M. Edmond Rostand finit par transiger avec la réalité [2].

Le même soin fut apporté aux décors réalisés à partir des croquis effectués par Rostand – ces décors revêtent une importance capitale pour l'authenticité de la couleur locale de la pièce et pour l'amplification de sa dimension poétique et dramatique. Le thème choisi par l'auteur, tout d'abord, n'est pas exempt de contraintes scéniques, notamment en rapport à la taille des personnages. Tout doit impérativement être créé à l'échelle du coq, les toiles peintes de fond de

1. J. Lorcey, *Edmond Rostand, op. cit.*, p. 212.
2. *L'Illustration, op. cit.*

scène comme les différents objets présents, plus nombreux qu'à l'ordinaire, ce que résume parfaitement la convention théâtrale proposée par le Directeur du prologue :

> Entre la scène et vous nous avons fait descendre
> L'invisible rideau d'un verre grossissant.

Résultat qui nous est décrit en ces termes par Serge Basset, à propos du troisième acte :

> Sur la droite est placée la fameuse chaise de trois mètres de hauteur, à demi cachée sous des frondaisons de quatre mètres par des fleurs dont chacune a trente-cinq centimètres de diamètre. Sur le sol, d'énormes citrouilles arrondissent leur panse [...], un énorme arrosoir oublié dans un coin a deux mètres cinquante de longueur...

La réalisation des décors obéit également à une seconde contrainte qui inscrit la pièce dans la lignée du cinquième acte de *L'Aiglon* : il faut que les objets apportent une autre dimension au décor peint pour le rendre plus vivant, mais aussi pour permettre à la poésie du texte de s'exprimer pleinement. Les décors et les objets ont donc été conçus dans une double optique : esthétique pour la poésie et la féerie du regard, et utilitaire pour les besoins du drame. Serge Basset cite, toujours à propos du troisième acte, une lettre de Rostand à Coquelin où notre auteur précise par exemple les nécessaires interactions entre les personnages et les objets, et cette double dimension des décors :

> Au moment de la bataille, on grimpera sur tout, j'aurai des spectateurs sur le banc, d'autres dessous (en baignoire). J'en aurai un ou deux sur l'arrosoir qui, par-derrière, doit avoir quelques marches. J'en aurai d'autres sur la chaise à demi visible : on verra leur tête. D'autres sur la chaise du milieu de l'allée et sur les pots. D'autres sur les deux gros potirons qui devront aussi avoir des marches par-derrière. Ainsi grâce à ces accessoires, certains spec-

tateurs dépasseront la foule en cercle, et nous aurons un effet de gradin. On fera tableau.

Comme nous le voyons, la technique théâtrale de Rostand est particulièrement ambitieuse et innovante. Jamais jusqu'alors on n'avait osé monter une pièce qui eût autant besoin de ses décors et de ses costumes pour exister. Réduire l'œuvre à un plat poème dramatique, c'est donc incontestablement l'amputer de sa dimension principale : *Chantecler* a besoin de l'incarnation des personnages parce que le texte, les décors et les costumes se complètent, s'interrogent et interagissent pour créer un véritable monde.

Une œuvre d'inspiration chrétienne

Tout est prêt, tout a été fait, donc, le soir de la générale, pour que *Chantecler* soit un triomphe. Malheureusement pour Rostand, comme nous l'avons vu, une convention tacite entourait l'œuvre, qui devait être du Rostand – et pas n'importe lequel : le Rostand de *Cyrano* et de *L'Aiglon*.

Or *Chantecler* a été victime de cette attente. Une méprise supplémentaire entoure le théâtre rostandien ; tout un pan de l'idéologie de Rostand, toute une dimension de sa vision du monde ont été complètement occultés, à l'époque et encore récemment : la pensée de Rostand est en effet profondément chrétienne. La méprise provient de la méconnaissance d'une pièce capitale dans l'œuvre du poète, un Évangile en trois tableaux et en vers tiré de Jean, joué pour la première fois par Sarah Bernhardt, la même année que *Cyrano de Bergerac* : *La Samaritaine*.

Cette pièce, beaucoup moins héroïque que *Cyrano* par son sujet, est la clé de l'œuvre rostandienne. Construite comme un véritable Évangile, elle met en scène un Jésus apparaissant d'abord comme profondément humain, mais qui garde toute sa divinité par ses allusions répétées au sacrifice de la Croix et à sa résurrec-

tion – un Jésus qui, par sa volonté, par ses efforts, par
son enthousiasme, accède à une divinité toute humaine.
Nous avons montré ailleurs ce que Cyrano ou le Duc
de Reichstadt, l'Aiglon, doivent au Christ de *La
Samaritaine* : êtres de chair, mais aussi d'esprit, ils
tendent toujours davantage vers une perfection, certes
différente, mais qui leur permet d'effleurer la sainteté [1]. De l'effleurer seulement, parce que ces êtres ont
toujours un handicap profondément humain : pour
Cyrano, l'orgueil ; pour le Duc, les erreurs de son père.
La filiation entre Cyrano et le Christ, par exemple,
peut aisément être démontrée. Cyrano, en effet, est
entièrement construit d'après le personnage mythique
d'Hercule, et condense les différentes représentations
dont celui-ci a été l'objet. Aux XVIe et XVIIe siècles,
Hercule était représenté comme un homme d'une lai-
deur repoussante. Sa force, symbolisée par des
chaînes qui emprisonnaient les hommes et qui étaient
rattachées à sa langue, était son éloquence. Hercule,
en outre, est non seulement le symbole de l'amitié
mais aussi l'une des images de Jésus-Christ – nous
pensons ici notamment à l'Hercule chrétien de Ron-
sard. Or notre Cyrano, grand défenseur de la veuve et
de l'orphelin, meurt dans un couvent après s'être con-
fessé devant Roxane et devant Dieu, après avoir fait le
bilan de son existence et reconnu ses fautes…

Dans *Chantecler*, le travail du chercheur est facilité.
Alors que dans les œuvres précédentes Rostand déve-
loppait son idéal de foi et d'amour à travers un savant
jeu d'allusions et de références culturelles, ici les
choses apparaissent si clairement que l'on ne comprend pas comment on a pu ne pas les voir. Il faut dire
aussi que biographes et critiques partaient du principe
que *La Samaritaine* n'était qu'une œuvre de circons-

---

1. Philippe Bulinge, *L'Héritage de La Samaritaine dans Cyrano de
Bergerac d'Edmond Rostand*, mémoire de maîtrise, Lyon, université
Jean-Moulin-Lyon 3, 1998 ; Philippe Bulinge, *L'Héroïsme dans
L'Aiglon d'Edmond Rostand*, mémoire de DEA, Lyon, université
Jean-Moulin-Lyon 3, 1999.

tance, que Rostand ne croyait pas en Dieu, tout simplement parce qu'il n'allait pas à la messe, mais aussi,
et l'argument est plus important, parce que Anna de
Noailles, l'une des dernières femmes qui traversèrent
sa vie, et l'abbé Mugnier, qui lui administra les derniers sacrements, nous apprirent qu'il n'était pas
croyant et qu'il n'aimait pas les prêtres. Certes… Ces
deux faits pourraient être suffisants pour dénier à
l'œuvre de Rostand toute dimension religieuse,
d'autant que Rostand n'a jamais dit qu'il était croyant.
Mais il n'a jamais dit non plus le contraire…

Il existe d'autres manières de croire. Rostand,
l'homme, loin d'être athée, était avant tout en proie au
doute, ce doute du tournant du siècle et de la mort de
Dieu, et il avait l'orgueil de n'en rien laisser paraître
aux yeux de ses contemporains. Laissons donc parler
l'œuvre à sa place. Elle est le lieu de toutes ses interro-
gations existentielles, l'univers où se développe un
idéal qu'il ne parvient pas à réaliser dans sa vie. Les
termes « foi » et « enthousiasme » résument à eux seuls
la plupart des héros rostandiens. Si les biographes,
souvent trop peu soucieux de l'œuvre, ont déclaré que
Rostand n'était pas croyant, c'est peut-être aussi parce
que, de la même manière qu'il n'a pas cherché à
fonder d'école littéraire, il n'a jamais voulu utiliser son
immense notoriété pour imposer ses idées, en dehors
de son œuvre – cadre privilégié du développement de
sa vision du monde –, et n'a jamais été ni activiste ni
militant.

Ce qui est vrai de son rapport à la religion l'est aussi
de son rapport à la politique, tant l'une et l'autre sont
alors indissociables : Rostand n'est pas un auteur poli-
tiquement engagé comme le sont Zola et Péguy par
exemple, impliqués dans la vie du pays. En 1905, la loi
de séparation de l'Église et de l'État divise la France,
comme, quelques années plus tôt, l'Affaire Dreyfus,
qui prend de l'ampleur dans les journaux et l'opinion
en 1898, au moment où le succès de *Cyrano* propulse
Rostand sur le devant de la scène. Rostand n'est pas à
Paris en 1905, mais à Cambo-les-Bains où il veille à la

construction d'Arnaga, et évite ainsi d'avoir à prendre parti. Il était présent dans la capitale en 1898, et il a été dreyfusard – au grand dam des nationalistes qui auraient voulu faire de lui leur grand poète : mais plus qu'une question politique, il s'agissait alors surtout pour lui de défendre un homme victime d'une injustice.

Rostand n'utilise en effet sa notoriété que pour des causes humainement justes : il prend par exemple la défense de la Grèce martyrisée par la Turquie, en 1897, « pour empêcher [...] qu'on égorge le dernier chrétien [1] ! » ; il participe également aux diverses manifestations de soutien aux comédiens désargentés ; il invite les élèves de son ancien collège à « crier éperdument, lorsque c'est mal : *C'est mal* [2] ! »... Rostand est un poète engagé, dans la mesure où rien de ce qui est humain ne lui est indifférent, mais il ne conçoit pas son engagement comme un engagement nécessairement militant : il a choisi la poésie et non le droit ; il veut écrire des poèmes, et non des discours.

Quelques années plus tard, en 1912, il fait partie du comité de patronage d'une revue intitulée *La Chanson française*, dont la devise est un vers de *Chantecler*, « Chanter, c'est ma façon de me battre et de croire » ; la couverture de chaque numéro représente le coq chantant son Hymne au soleil. Le manifeste-programme de cette revue, écrit par André Chanal et Henri Gaillard – manifeste que soutient donc Rostand et qui résume profondément sa pensée –, précise :

> *La Chanson française*, respectueuse de toutes les opinions politiques sincères qui ne portent pas atteinte à la prospérité de notre pays, ni à l'intégrité de son patrimoine moral et intellectuel, sera traditionaliste. Elle exaltera toutes les saines et solides traditions qui relient le présent au passé et qui sont la base des nations fortes. Elle mettra toute son ardeur et tout son entrain au service du patrio-

---

1. Edmond Rostand, *Pour la Grèce*, 11 mars 1897.
2. Edmond Rostand, *Aux élèves du collège Stanislas*, 3 mars 1898.

tisme et de la religion qui ont fait la grandeur de la France [1].

Chantecler, le prêtre du soleil

Chantecler se présente lui-même, dès le début de la pièce, comme un « Camerlingue » (acte I, scène 3). Le camerlingue est le cardinal qui assure l'intérim entre deux papes ; il s'occupe de la dimension terrestre du pontificat et de son fonctionnement. Cette présentation fait d'ailleurs suite au premier morceau de bravoure de la pièce, l'Hymne au soleil de Chantecler. On y lit ces vers qui font de Chantecler un prêtre du soleil :

> Je te chante, et tu peux m'accepter pour ton prêtre.
> [...]
> Gloire à toi sur les prés ! Gloire à toi dans les vignes !
> Sois béni parmi l'herbe et contre les portails !

Chantecler, expliquant à la Faisane qui il est et ce que représente son chant, ne peut qu'utiliser le terme « foi » :

> Je suis si convaincu que j'accomplis un acte ;
> J'ai tellement la foi que mon cocorico
> Fera crouler la Nuit comme une Jéricho...

Lorsqu'il est trahi par la Faisane, c'est la foi qu'il perd, pas la vie :

> Ils le croient maintenant que je ne le crois plus !

Revenons sur cette trahison : elle contient en germe l'idéal rostandien. Chantecler, flatté par les crapauds sur la valeur de son chant, comprend vite qu'il a été trompé par les batraciens lorsqu'il entend le rossignol chanter. Chantecler n'est pas le seul à l'entendre : tous

---

1. *La Chanson française*, n° 1, novembre 1912.

les animaux de la forêt s'approchent de son arbre pour l'écouter et chacun y trouve ce qui est le meilleur pour lui, ce qui le transcende. Par exemple, écouter le chant du Rossignol parle des larmes à la Biche, parle de la lune au loup, de l'étoile au vers luisant… Chantecler résume alors la communion qui s'opère autour du Rossignol en utilisant l'image clé de *La Samaritaine*, celle de l'eau-vive accordée par le Christ :

> Ah ! quelle est cette source…
> … où chacun trouve l'eau qu'il a besoin de boire ?

Souvenons-nous un instant de *La Samaritaine* : Jésus, près du puits de Jacob, demande de l'eau à une pécheresse, une prostituée du nom de Photine. Il définit ainsi ce qu'est l'eau-vive :

> Quiconque
> Boira l'eau de ce puits aura soif de nouveau ;
> Mais il n'aura plus soif, celui qui boira l'eau
> Que je lui donnerai ; car en lui naîtra d'elle
> Le bondissement frais d'une eau perpétuelle,
> De sorte qu'il sera sans fin désaltéré
> Celui qui boira l'eau que je lui donnerai [1].

Photine, transformée, reconnaît alors que Jésus est ce messie que tous attendent :

> « Celui qui boira l'eau que je lui donnerai
> N'aura plus soif !… » Seigneur, je n'ai plus soif, c'est vrai.
> Pour la première fois j'ai bu, pour la première !
> Oh ! je voudrais pleurer sur tes mains de lumière…
> Comme il est bon ! Il me les tend. Tu me les tends !…
> J'avais si soif, si soif, et depuis si longtemps !
> C'est ce vers quoi, sans fin, je reprenais mes courses,
> L'eau vive, – et j'en connais toutes les fausses sources [2] !

---

1. Edmond Rostand, *La Samaritaine, op. cit.*, p. 57-58.
2. *Ibid.*, p. 65.

Le Rossignol est donc une figure christique. Il l'est d'autant plus qu'un chasseur, de peur de rentrer bredouille, l'assassine. C'est la douleur de Chantecler face à cette mort qui va lui faire oublier son chant et qui va faire lever le soleil sans lui.

Or, c'est précisément au moment où l'on pense, avec la Faisane, que Chantecler a définitivement perdu sa foi, qu'il évoque saint Pierre par l'allusion évangélique de son reniement et qu'il la retrouve :

LA FAISANE, *interdite.*

Pourquoi chantes-tu donc !

CHANTECLER

Pour m'avertir moi-même,
Puisque j'ai par trois fois renié ce que j'aime !

Sa foi rétablie, Chantecler voit un nouveau rossignol apparaître et chanter dans la forêt, comme les Apôtres virent Jésus sorti de son tombeau et revenu à la vie :

LA FAISANE, *regardant avec effroi dans le feuillage,*
puis dans la petite tombe qui se creuse.

Un autre chante quand celui-ci disparaît ?

LA VOIX

Il faut un rossignol, toujours, dans la forêt !

CHANTECLER, *avec exaltation.*

Et, dans l'âme, une foi si bien habituée
Qu'elle y revienne encore après qu'on l'a tuée !

Comme nous le voyons, la dimension religieuse est bien la clé de la pièce. Négliger cet aspect revient essentiellement à négliger l'objectif principal de Rostand. D'où l'idée, nous y revenons, avancée par les critiques d'alors et de maintenant, que la pièce est mal construite, qu'elle ne progresse plus à partir du troisième acte. Pour ces critiques, Chantecler choisit l'illusion. C'est ce que résume Lorcey :

Il échappera pourtant à cette Dalila, au prix d'un certain bonheur, sans doute, mais pour retrouver l'illusion
bienfaisante et régénératrice [1].

Il n'est jamais question ici de la foi. Il nous faut
encore donner la parole à Chantecler pour souligner
définitivement l'erreur de compréhension qui entoure
la pièce. Chantecler, rassuré et confirmé dans sa foi,
précise encore ce qu'est son rôle, sa foi :

> C'est que je suis le Coq d'un soleil plus lointain !
> Mes cris font à la Nuit qu'ils percent sous ses voiles
> Ces blessures de jour qu'on prend pour des étoiles !
> Moi, je ne verrai pas luire sur les clochers
> Le ciel définitif fait d'astres rapprochés ;
> Mais si je chante, exact, sonore, et si, sonore,
> Exact, bien après moi, pendant longtemps encore,
> Chaque ferme a son Coq qui chante dans sa cour,
> Je crois qu'il n'y aura plus de nuit !

LA FAISANE

Quand ?

CHANTECLER

Un Jour !

Et ce dernier mot est écrit avec une majuscule.

Comme les habitants de Sichem dans *La Samaritaine*, Chantecler est placé dans l'attente du retour du
Christ, de la victoire du bien sur le mal, de la Lumière
sur la Nuit. La mort et la renaissance du Rossignol
sont une passion qui renforcent sa foi, une foi devenue
meilleure que celle qu'il pouvait connaître dans sa
basse-cour au début de l'histoire. Les habitants de la
forêt, d'ailleurs, commencent leur journée par une
prière collective...

Du point de vue de la progression dramatique, le
personnage de Chantecler a évolué au cours de la pièce.
Comme Cyrano et comme l'Aiglon, il s'est approché
de la sainteté, abandonnant un peu de cet orgueil, de

---

1. Jacques Lorcey, *Edmond Rostand, op. cit.*, p. 214.

cette vanité d'artiste qui lui laissait croire qu'il faisait lever le soleil, qu'il avait un rôle plus important que d'être un coq, simple gardien des poules. Le quatrième acte, à cet égard, est déterminant. Mais le discours rostandien, dans *Chantecler*, s'est légèrement infléchi : Cyrano et l'Aiglon n'étaient pas à leur place, ce qui était leur faiblesse. Chantecler lui, est à la sienne.

Une leçon d'âme et de vie

Le message chrétien se double dans la pièce d'une véritable leçon d'âme et de vie. Cyrano et l'Aiglon étaient des personnages historiques au destin extraordinaire. Chantecler est un petit coq d'une petite basse-cour. Il est fait pour son métier. Il doit tout à son métier. Chanter est l'acte qui va avec sa foi, aussi bien l'ancienne que la nouvelle. Mais ce n'est pas le soleil qu'il doit faire lever. Son acte, son métier, c'est d'être celui qu'il doit être, aussi longtemps que le royaume des cieux, ce jour J évoqué plus haut, ne sera pas une réalité. Mais en même temps, ce royaume des cieux se réalise en chacun quand chacun se donne tout entier pour son métier, sa fonction sur terre.

Chantecler est ainsi la condamnation de tout comportement qui vise à être autre chose que ce pourquoi l'on a été fait et, dans le même mouvement, une invitation adressée à chacun de trouver sa place. La Faisane incarne parfaitement cette dimension de la pièce. Faisane portant la robe du faisan, faisane qui par orgueil se pare du plumage de son mâle, faisane qui veut passer avant l'Aurore : ce personnage, comme la plupart des personnages rostandiens, tend vers une perfection. Et ici, la perfection n'est pas difficile à atteindre : elle consiste à accepter son rôle, son métier. La Faisane, après avoir trahi Chantecler, va se sacrifier pour le sauver d'un chasseur qui menace de lui tirer dessus. Son sacrifice, c'est son métier, qui est d'être chassée.

La Faisane, d'ailleurs, prise dans les filets du chasseur, adresse une prière poignante à l'Aurore :

> Qu'il vive ! Et je vivrai dans la cour, près du soc !
> Et j'admettrai, Soleil ! abdiquant pour ce Coq
> Tout ce dont mon orgueil le tourmente et l'encombre,
> Que tu marquas ma place en dessinant son ombre !
> [...]
> Lumière à qui j'osai le disputer, pardon !
> Éblouis l'œil cruel qui cherche le guidon !
> Et que ce soit, Rayons du matin, la victoire
> De votre poudre d'or...

> *Une détonation. Elle pousse un cri bref.*

> Ah !

> *Puis achève d'une voix éteinte :*

> ... sur leur poudre noire !

On comprend mieux à présent pourquoi Rostand a voulu que ses personnages ressemblent tant à des animaux, à des oiseaux. Certes ils ont souvent des préoccupations humaines, mais les oiseaux incarnent un ordre du monde placé dans une continuité où chaque être est à sa place, un ordre du monde profondément chrétien, qui prépare l'avènement du royaume des cieux.

Il fallait donc impérativement à Rostand créer un monde par sa mise en scène pour renforcer ce message. Peut-être a-t-il échoué en cette année 1910, demandant trop au théâtre de son époque. Mais nous, qui avons eu la chance d'assister à des représentations plus contemporaines – nous pensons à celle de Jérôme Savary ou à celle de Jean-Paul Lucet –, nous savons que *Chantecler* est un formidable spectacle. Il faut lire et relire la pièce pour la redécouvrir, dans ses résonances avec les autres chefs-d'œuvre rostandiens. Mais il faut également, et surtout, la jouer et l'écouter, la voir pour qu'elle existe entièrement.

Philippe BULINGE.

CHANTECLER

Pièce en quatre actes en vers

*Représentée pour la première fois
au théâtre de la Porte-Saint-Martin
le 7 février 1910*

LISTE DES PERSONNAGES

Chantecler	MM.	Lucien Guitry
Patou		Jean Coquelin
Le Merle		Félix Galipaux
Le Paon		Dauchy
Le Rossignol	Mme	Marthe Mellot
Le Grand-Duc	MM.	Dorival
Le Chat-Huant		Renoir
Le Petit Scops		Mosnier
Le Coq de combat		Sydney
Le Chien de chasse		Mosnier
Un Pigeon voyageur		Laumonier
Le Pivert		Walter
Le Chat		Chabert
Le Dindon		Harment
Le Canard		Suarez
Le Pintadeau		Déan
Le Jars		Adam
Un Chapon		Person
Un Poulet		Talmont
Un Autre Poulet		Plan
Un Vieux Poulet		Danequin
Un Jeune Coq		Jacob
Trois Poulets sautillants	{	Gilbert
		Realt
		Arthus
Le Cygne		Jacquin
L'Huissier-Pie		Nattier
Le Coucou		Thomen
Premier Lapin		Laurier
Deuxième Lapin		Dutain
Deux Poussins	{	Petite Renée Pré
		Petit Guerrier

	MM. Gravier
LES NOCTURNES	Lomon
	Leroy
	Bernay
	Lévy
	Mignard
	Guillaume, etc.

	Latour
LES COQS	Mollin
	Dumain
	Morel
	Rey
	Dombreval
	Totah
	Lindey
	Jarnac
	Lautey, etc.

	Dorival
LES CRAPAUDS	Mosnier
	Renoir
	Harment
	Dombreval
	Pally, etc.

LA FAISANE	Mmes Simone
LA PINTADE	Leriche
LA VIEILLE POULE	Bouchetal
LA POULE BLANCHE	Carmen Deraisy
LA POULE GRISE	Lorsy
LA POULE NOIRE	Fabre
LA POULE BEIGE	Suzanne Henner
LA POULE DE HOUDAN	Deréval
LA DINDE	Frédérique Fabre
L'OIE	Deroy
LA TAUPE	Guillaumin
LA FAUVETTE DES JARDINS	Sephora Mossé
LA FAUVETTE DES ROSEAUX	Uziago
UNE ARAIGNÉE	Douny

UN HÉRON, UN PIGEON, UN COBAYE,
ANIMAUX DE LA BASSE-COUR,
BÊTES DE LA FORÊT,
LES LAPINS, LES OISEAUX, LES ABEILLES, LES GUÊPES,
LES CIGALES,
DES VOIX.

PRÉLUDE

*On frappe les trois coups. Le rideau fris-
sonne et commence à se lever. À ce moment,
un cri éclate dans la salle : « Pas encore ! »
Et le Directeur du Théâtre, jaillissant de
son avant-scène, saute dans l'orchestre.
C'est un homme important et en habit noir,
qui court vers la scène en répétant :*

Pas encor[1] !

*Le rideau retombe. Le Directeur se
tourne vers le public. Et comme il s'est
appuyé un instant à la boîte du souffleur, il
se met à parler en vers.*

Le rideau, c'est un mur qui s'envole !
Et quand un mur va s'envoler, qu'on en est sûr,
On ne saurait avoir d'impatience folle ;
Et c'est charmant d'attendre en regardant ce mur !

C'est charmant d'être assis devant un grand mur rouge
Qui frissonne au-dessous d'un masque et d'un bandeau[2] !
Ah ! le meilleur moment, c'est quand le rideau bouge
Et qu'on entend du bruit derrière le rideau !

Or, ce bruit, nous voulons que, ce soir, on l'écoute,
Et, pour se mettre un peu, déjà, dans le décor,
Qu'on rêve, en l'écoutant.

Penché, le Directeur tend l'oreille aux
bruits qui commencent à venir de la scène.

Un pas… est-ce une route ?
Une aile… est-ce un jardin ?

Et comme le rideau palpite, il crie préci-
pitamment :

Ne levez pas encor !

Penché de nouveau, l'oreille tendue, il
continue, notant les bruits, vagues ou pré-
cis, mêlés ou distincts, qui ne vont plus ces-
ser d'arriver à travers la toile.

Une pie, en jetant son cri, prend la volée.
Et l'on entend courir de gros sabots de bois :
C'est une cour… mais qui domine une vallée
Puisqu'on entend monter des chants et des abois.

Voici que peu à peu l'action se situe.
Rien ne crée aussi bien l'atmosphère qu'un son.
– Une vague clarine[3] a tinté, puis s'est tue :
Puisqu'une chèvre broute, il y a du buisson.

Il doit même y avoir un arbre dans la brise
Puisqu'un bouvreuil dit l'air qu'il a dans le gosier.
Et puisqu'un merle siffle une chanson apprise,
Il faut bien qu'il y ait une cage d'osier.

Le bruit qu'en remuant fait une carriole…
Le bruit pesant d'un seau qui remonte trop plein…
Le bruit léger d'un toit qui joue à pigeon-vole…
Oui, c'est bien une cour de ferme ou de moulin.

De la paille s'agite ; un loquet se déclenche :
On est près d'une étable ou d'un grenier à foin.
La cigale : il fait beau. Des cloches : c'est dimanche.
Deux geais ont ricané : la forêt n'est pas loin.

Chut ! Avec tous les bruits d'un beau jour, la Nature
Fait une rumeur vaste et compose en rêvant

Le plus mystérieux des morceaux d'ouverture,
Orchestré par le soir, la distance et le vent !

Et tous ces bruits – chanson d'une fille qui passe, –
Rires d'enfants scandés au trot des bourriquots, –
Coups de fusil lointains, – notes de cor de chasse, –
– Oui, tous ces bruits sont bien des bruits dominicaux.

Une fenêtre s'ouvre. Une porte se ferme.
On entend les grelots du vieux harnais frémir.
N'est-ce pas qu'on la voit, la vieille cour de ferme ?
Le chien dort, et le chat fait semblant de dormir.

Dimanche ! Les fermiers vont partir pour la fête.
Le vieux cheval piétine.

UNE VOIX RUDE, *derrière la toile,*
parmi les piaffements.

Ho ! la Grise !

UNE AUTRE VOIX,
comme appelant quelqu'un qui s'attarde.

Viens-tu ?

On rentrera très tard cette nuit.

UNE VOIX IMPATIENTE

Es-tu prête ?

UNE AUTRE VOIX

Mets la barre aux volets.

UNE VOIX D'HOMME

Oui.

UNE VOIX DE FEMME

Mon ombrelle !…

UNE VOIX D'HOMME,
dans un claquement de fouet.

Hu !

LE DIRECTEUR

La carriole, au bruit du vieux harnais qui sonne,
S'éloigne en secouant ses chansons… Un tournant
Casse en deux le refrain… Il n'y a plus personne.
Nous pouvons commencer la pièce maintenant.

Malebranche [4] dirait qu'il n'y a plus une âme :
Nous pensons humblement qu'il reste encor des cœurs.
Les hommes avec eux n'emportent pas le drame :
On peut rire et souffrir pendant qu'ils sont ailleurs.

Il prête encore l'oreille.

Un gros bourdon velu qui de bruit s'enveloppe
Tourne… et plus rien : il vient d'entrer dans une fleur.
Nous pouvons commencer. C'est la bosse d'Ésope [5]
Qui remplace ce soir la boîte du souffleur.

Nos personnages sont petits, mais…

Criant vers les frises.

Alexandre !

Au public.

C'est mon chef machiniste…

Criant de nouveau.

Envoyez !

UNE VOIX, *des frises.*

Ça descend !

LE DIRECTEUR

Entre la scène et vous nous avons fait descendre
L'invisible rideau d'un verre grossissant.

Il écoute encore.

Mais voici que déjà s'accordent dans la brume
Des stradivarius aux archets de cristal :
Chut ! Il faut maintenant que la rampe s'allume,
Car les petits grillons sont partis au signal

D'un chef d'orchestre brun qui se lisse une antenne !
– Frrrt ! Le bourdon ressort, secouant du pollen.
Une poule survient, comme dans La Fontaine.
Un coucou chante au loin, comme dans Beethoven.

Chut ! Il faut maintenant que le lustre pâlisse,
Car le mystérieux avertisseur des bois
Dont l'appel semble fuir de coulisse en coulisse
A, pour nous avertir, chanté trois fois deux fois[6] !

Et puisque la Nature entre dans notre rêve,
Puisque pour régisseurs nous avons les coucous,
Chut !... il faut maintenant que le rideau se lève,
Car le bec d'un pivert a frappé les trois coups !

Le rideau se lève.

PREMIER ACTE
LE SOIR DE LA FAISANE

LE DÉCOR

Intérieur d'une cour de ferme.

Les bruits nous l'ont décrit d'une façon exacte.
Portail croulant. Mur bas fleuri d'ombelles [1]. Foin.
Fumier. Meule de paille. Et la campagne au loin.
Les détails vont se préciser au cours de l'acte.

Sur la maison, glycine en mauve cataracte.
La niche du vieux chien de garde, dans un coin.
Épars, tous les outils dont la Terre a besoin.
Des poules vont, levant un pied qui se contracte.

Un merle dans sa cage. Une charrette. Un puits.
Canards, Soleil. Parfois une aile bat, et puis
Une plume, un instant, vole, toute petite.

Des poussins, pour un ver, se disputent entre eux.
Le dindon porte au bec sa rouge stalactite.
– Silence chaud, rempli de gloussements heureux.

SCÈNE PREMIÈRE

Toute LA BASSE-COUR, POULES, POULETS,
se promenant ou montant
et descendant la petite échelle du poulailler,
POUSSINS, CANARDS, DINDONS, etc.;
LE MERLE dans sa cage qui est accrochée
parmi les glycines ;
LE CHAT endormi sur le mur ;
puis un PAPILLON sur les fleurs.

LA POULE BLANCHE, *picorant.*

Ah ! c'est exquis !

UNE AUTRE POULE, *accourant.*

Que croquez-vous ?

TOUTES LES POULES, *accourant.*

Que croque-t-elle ?

LA POULE BLANCHE

C'est ce petit insecte appelé cicindèle [2]
Qui parfume le bec de rose et de jasmin !

LA POULE NOIRE, *arrêtée*
devant la cage du Merle.

Vraiment, ce Merle siffle avec l'art…

LA POULE BLANCHE

D'un gamin !

LE DINDON, *rectifiant avec solennité.*
D'un gamin qui serait un pâtre de Sicile !

LE CANARD
Il ne finit jamais son air…

LE DINDON
                    C'est trop facile,
Finir !

                    Il chantonne l'air que siffle le Merle.

« Qu'il fait donc bon cueillir… cueillir… » Canard,
Sache qu'il faut savoir ne pas finir, en art !
« Cueillir… » Bravo !

                    *Le Merle sort, et, posé sur une branche de
                    glycine, salue.*

UN POUSSIN, *étonné.*
            Il sort ?

LE MERLE, *saluant.*
                    Oui, quand le public vibre.
Je suis apprivoisé !

                                        Il rentre.

LE POUSSIN
Mais sa cage ?

LE DINDON
                    Il est libre
D'en sortir brusquement et d'y rentrer soudain,
Car la porte n'a pas de ressort à boudin,
« Cueillir !… » Ce n'est plus rien si l'on dit ce qu'on cueille !

LA POULE NOIRE, *apercevant le Papillon
            posé sur les fleurs qui, au fond,
                    dépassent le mur.*

Oh ! le beau papillon !

LA POULE BLANCHE
Où ?

LA POULE NOIRE
Sur le chèvrefeuille !

LE DINDON, *doctoral.*
Ce papillon s'appelle un Mars.

LE POUSSIN, *suivant des yeux*
le Papillon.
Ah ! sur l'œillet !

LA POULE BLANCHE, *au Dindon.*
Un Mars ! Pourquoi ?

LE MERLE, *passant sa tête entre*
les barreaux.
Mais parce qu'il vient en juillet !

LA POULE BLANCHE
Ce Merle… il est roulant[3] !

LE DINDON, *hochant la tête.*
Mieux que roulant, ma chère !

UNE AUTRE POULE, *regardant*
le Papillon.
C'est chic, un papillon !

LE MERLE
C'est très facile à faire :
On prend un W qu'on met sur un Y.

UNE POULE, *ravie.*
Il dessine une charge[4] en quatre coups de bec !

LE DINDON
Il fait mieux que charger, il schématise ! Poule,
Ce Merle veut qu'on pense au moment qu'on se roule :

C'est un Maître qui se déguise en basochien[5] !

UN POUSSIN, *à une poule.*

Maman, pourquoi le Chat déteste-t-il le Chien ?

LE MERLE, *passant sa tête*
entre les barreaux.

Mais parce qu'il lui prend son fauteuil au théâtre !

LE POUSSIN, *surpris.*

Ils ont un théâtre ?

LE MERLE
Oui. De féerie.

LE POUSSIN

Hein ?

LE MERLE

C'est l'âtre,
Où tous deux veulent voir la Bûche-au-Bois-Dormant
Rougir de s'éveiller près du Prince Sarment !

LE DINDON, *lourdement ébloui*
de ces prétendues légèretés.

Comme il sait indiquer que les haines de races
Ne sont jamais, au fond, que des haines de places !
Il est très fort !

LA POULE BEIGE, *à la Poule Blanche,*
qui picore.

Tu prends du piment[6] ?

LA POULE BLANCHE

Oui, beaucoup.

LA POULE BEIGE

Pourquoi ?

LA POULE BLANCHE
Ça fait rosir le plumage.

LA POULE BEIGE
Ah ?...

ON ENTEND CHANTER AU LOIN
Coucou !

LA POULE BLANCHE
Tiens !

LE CHANT AU LOIN
Coucou !

LA POULE BLANCHE
Le Coucou !

UNE POULE GRISE, *accourant, fébrile.*
Lequel ? Celui qui loge
Dans les bois, ou celui qui loge dans l'horloge ?

LE CHANT PLUS LOIN
Coucou !

LA POULE BLANCHE, *ayant écouté.*
Celui des bois.

LA POULE GRISE, *respirant.*
Ah ! je craignais d'avoir
Manqué l'autre !

LA POULE BLANCHE, *se rapprochant.*
C'est vrai, tu l'aimes ?

LA POULE GRISE, *mélancolique.*
Sans le voir[7] !
Il habite un chalet pendu dans la cuisine
Au-dessus du fusil et de la limousine[8].
Dès qu'il chante, j'accours... mais je n'arrive, hélas

Que pour le voir fermer son petit vasistas !
Ce soir, je vais rester sur le seuil.

Elle se met sur le seuil de la porte.

UNE VOIX
Poule Blanche !

SCÈNE II

LES MÊMES, UN PIGEON sur le toit, puis CHANTECLER.

LA POULE BLANCHE, *regardant autour*
d'elle par mouvements de tête saccadés.
Qui m'appelle ?

LA VOIX
Un pigeon !

LA POULE BLANCHE, *cherchant.*
Où ?

LE PIGEON
Sur le toit qui penche !

LA POULE BLANCHE, *levant la tête*
et l'apercevant.
Ah !

LE PIGEON
Bien que d'un billet pressé je sois porteur,
Je m'arrête. Bonjour, poule.

LA POULE BLANCHE
Bonjour, facteur.

LE PIGEON

Oui, puisque mon service aux Postes de l'Espace
Fait qu'en ce soir d'été par votre ciel je passe,
Je serais bien heureux de pouvoir…

LA POULE BLANCHE,
qui aperçoit un grain.

Un moment !

UNE AUTRE POULE,
courant curieusement vers elle.

Que croquez-vous ?

TOUTES LES POULES, *accourant.*

Que croque-t-elle ?

LA POULE BLANCHE

Du froment.

LA POULE GRISE, *reprenant*
sa conversation, à la Poule Blanche.

Donc, ce soir, sur le seuil il faut que je demeure…

Elle montre la porte de la maison.

LA POULE BLANCHE, *regardant la porte.*

La porte est close !

LA POULE GRISE

Oui, mais j'entendrai sonner l'heure
Et pour voir le Coucou je passerai le cou…

LE PIGEON, *appelant, impatienté.*

Poule Blanche !

LA POULE BLANCHE

Un moment !

À l'autre Poule.

Et pour voir le Coucou
Tu passeras le cou par où ?…

LA POULE GRISE, *désignant le trou rond
qui est au bas de la porte.*

Par la chatière !

LE PIGEON, *criant.*

Vous me laissez le bec dans l'eau de la gouttière !
Hé ! la plus blanche des poules !

LA POULE BLANCHE,
sautillant vers lui.

Tu me disais ?…

LE PIGEON

Que je serais…

LA POULE BLANCHE,
avec une révérence.

Quoi donc, le plus bleu des bisets [9] ?

LE PIGEON

Bien heureux si… – mais non, l'audace est indiscrète… –
Je pouvais voir…

LA POULE BLANCHE

Quoi ?

LE PIGEON, *ému.*

Rien qu'un instant…

TOUTES LES POULES, *impatientées.*

Quoi ?

LE PIGEON

Sa crête !

LA POULE BLANCHE,
aux autres, en riant.

Ah ! il veut voir…

LE PIGEON, *très excité.*
Mais oui, je veux voir…

LA POULE BLANCHE
Calme-toi !

LE PIGEON
J'attends en trépignant !

LA POULE BLANCHE
Il abîme le toit !

LE PIGEON
C'est que nous l'admirons !

LA POULE BLANCHE
Tout le monde l'admire !

LE PIGEON
Et j'ai promis à ma pigeonne de lui dire
Comment il est.

LA POULE BLANCHE, *tout en picorant.*
Superbe, on ne peut le nier.

LE PIGEON
Nous l'entendons chanter de notre pigeonnier !
C'est Celui dont le chant tient plus au paysage
Qu'à la pente d'un mont la blancheur d'un village,
Car toujours au lointain sa voix se mêle un peu ;
C'est Celui dont le cri perce l'horizon bleu
Comme une aiguille d'or qui toujours enfilée
Coudrait au bord du ciel le bord de la vallée.
C'est le Coq !

Le Merle, *allant et venant dans sa cage.*

Pour lequel tous les cœurs font toc-toc !

Une Poule

Notre Coq !

Le Merle, *passant sa tête
entre les barreaux.*

Mon, ton, son, notre, votre et leur Coq !

Le Dindon, *au Pigeon.*

Il va bientôt rentrer de sa ronde champêtre.

Le Pigeon

Ah ! vous le connaissez, Monsieur ?

Le Dindon, *important.*

Je l'ai vu naître.

Ce poussin – car pour moi c'est toujours un poussin ! –
Venait prendre chez moi sa leçon de buccin [10].

Le Pigeon

Ah ! vraiment, vous donnez des leçons de ?…

Le Dindon

Sans doute.
Je peux apprendre à coqueriquer : je glougloute !

Le Pigeon, *avidement.*

Où donc est-il né ?

Le Dindon, *désignant un vieux panier
à couvercle, usé et percé.*

Dans ce vieux panier.

Le Pigeon

Et la
Poule qui l'a couvé vit encore ?

Le Dindon

Elle est là.

LE PIGEON

Où ?

LE DINDON

Dans ce vieux panier.

LE PIGEON, *de plus en plus intéressé.*

De quelle race est-elle ?

LE DINDON

C'est une bonne, vieille et traditionnelle
Poule gasconne, née aux environs de Pau.

LE MERLE, *passant sa tête.*

C'est celle qu'Henri Quatre a voulu mettre au pot.

LE PIGEON

Avoir couvé ce Coq… qu'elle doit être fière !

LE DINDON

Oui, d'une humble fierté de maman nourricière.
Son cher poussin – c'est là tout ce qu'elle comprend –
Devient grand !… et quand on lui dit qu'il devient grand,
Sa raison presque éteinte un instant se réveille.

Il crie vers le panier.

Hé ! la vieille, il grandit !

TOUTES LES POULES

Il grandit !

*Aussitôt, on voit se soulever le couvercle
du panier et surgir une vieille tête ébouriffée.*

LE PIGEON, *à la Vieille Poule,
avec attendrissement.*

Hé ! la vieille,
Ça vous fait donc plaisir qu'il grandisse ?

LA VIEILLE POULE, *hochant la tête,*
et sentencieusement.

                                        Pardi !
Le blé de mercredi fait honneur à mardi !

                        Elle disparaît. Le couvercle retombe.

LE DINDON
De temps en temps, elle ouvre, et, crac ! avant de clore,
Elle laisse tomber une fleur de folk-lore [11],
Un dicton qu'elle invente et qui sent le patois…

LE PIGEON, *à la Poule Blanche.*
Poule Blanche !

LE DINDON, *en remontant.*
        … Et qui tombe assez bien quelquefois !

LA VIEILLE POULE, *qui a reparu*
un instant derrière lui.
Quand le paon n'est pas là, le dindon fait la roue.

                Le Dindon se retourne : le couvercle est
                déjà retombé.

LE PIGEON, *à la Poule Blanche.*
Est-ce vrai que jamais Chantecler ne s'enroue ?

LA POULE BLANCHE, *picorant toujours.*
C'est vrai !

LE PIGEON,
avec un enthousiasme croissant.
        Vous êtes fiers d'avoir sous ces ormeaux
Un coq qui comptera parmi les Animaux
Illustres, dont le nom vivra dans plusieurs lustres !

LE DINDON
Très fiers ! très fiers !

                        À un petit poussin.

Quels sont les Animaux Illustres ?

LE POUSSIN, *récitant.*

Le pigeon de Noé, le barbet de Saint-Roch[12],
Le cheval de Cali…

LE DINDON

Cali ?…

LE POUSSIN, *cherchant.*

Cali…

LE PIGEON

Ce coq,
Est-ce vrai que son chant rythme, active, guerroie,
Fait rire le travail et fuir l'oiseau de proie ?

LA POULE BLANCHE, *picorant.*

C'est vrai !

LE POUSSIN, *cherchant toujours.*
Cali… Cali…

LE PIGEON

Poule Blanche, est-ce vrai
Que son chant, défenseur de l'œuf tiède et sacré,
Empêcha bien souvent l'onduleuse belette
D'avoir à son plastron[13] des taches…

LE MERLE, *passant sa tête
entre les barreaux.*

D'omelette ?

LA POULE BLANCHE

C'est vrai !

LE POUSSIN, *cherchant toujours.*
Cali…

LE DINDON, *pour l'aider.*
Gu ?…

LE POUSSIN
Gu…

LE PIGEON
Poule, est-ce vrai…

LE POUSSIN, *bondissant de joie*
d'avoir trouvé.

… Gula [14] !

LE PIGEON
… Que, pour chanter si bien, on suppose qu'il a
Un secret… un secret qui rend sa voix si rouge
Qu'à son cocorico le coquelicot bouge
Comme s'il s'entendait appeler par son nom ?

LA POULE BLANCHE, *un peu fatiguée*
par ces questions.
C'est vrai !

LE PIGEON
Ce grand secret, nul ne le connaît ?

LA POULE BLANCHE

Non !

LE PIGEON
Il ne le dit pas même à sa poule ?

LA POULE BLANCHE, *rectifiant.*
À ses poules !

LE PIGEON, *un peu scandalisé.*
Ah ! il en a plusieurs ?

LE MERLE
Il chante. Tu roucoules !

LE PIGEON

Même à sa favorite, alors, il ne dit rien ?

LA POULE DE HOUDAN, *vivement.*

Oh ! rien !

LA POULE BLANCHE, *aussi vivement.*

Rien !

LA POULE NOIRE, *aussi vivement.*

Rien !

LE MERLE, *passant sa tête
entre les barreaux.*

Silence : un drame aérien !
Le Papillon, piaffant comme un petit Pégase,
N'a pas vu…

> *On aperçoit, dépassant le mur, un grand
> filet vert, qui s'approche tout doucement du
> Papillon posé sur une des fleurs.*

UNE POULE

Qu'est cela ?

LE DINDON, *solennel.*

C'est le Destin !

LE MERLE

En gaze !

LA POULE BLANCHE

Oh !… un filet !… au bout d'un bambou…

LE MERLE

Ce bambou
Se termine par un bambin à l'autre bout !

> *À mi-voix, en regardant le Papillon.*

Muscadin [15] qui toujours vers d'autres roses cingles,
Tu vas être tiré ce soir à quatre épingles !

> TOUT LE MONDE,
> *suivant par-dessus le mur*
> *l'approche lente du filet.*

Palpitant ! – Ça s'approche ! – Oui ! – *Poco a poco* [16] !
Chut ! – Prendra ! – Prendra pas ! – Prendra !…

> *Le Papillon va être pris. Mais*

> ON ENTEND TOUT À COUP AU LOIN
>
> Cocorico !

> *Averti par ce cri, le Papillon s'envole. Le*
> *filet se balance un moment désappointé,*
> *puis disparaît.*

> PLUSIEURS POULES

Hein ? – Quoi ? – Qu'est-ce ?

> UNE POULE, *qui, sautée sur une brouette,*
> *suit le vol du Papillon.*
>
> Il est loin déjà dans la prairie !

> LE MERLE, *avec une emphase ironique.*

C'est Chantecler qui fait de la chevalerie !

> LE PIGEON, *très ému.*

Chantecler !

> UNE POULE
> Sur le mur… il vient !

> UNE AUTRE POULE
>
> Il est tout près !

> LA POULE BLANCHE, *au Pigeon.*

Oh ! tu vas voir, c'est un beau coq !

LE MERLE, *passant sa tête*
entre les barreaux.

D'ailleurs, c'est très
Facile à faire, un coq !

LE DINDON, *plein d'admiration.*

Ce Merle est d'une force !

LE MERLE

Vous prenez un melon, de Honfleur, pour le torse.
Pour les deux jambes, deux asperges, d'Argenteuil.
Pour la tête, un piment, de Bayonne. Pour l'œil,
Une groseille, de Bar-le-Duc. Pour la queue,
Un poireau, de Rouen, tordant sa gerbe bleue.
Pour l'oreille, ô Soissons ! un petit haricot.
Ça y est. C'est un coq !

LE PIGEON, *doucement.*

Moins le cocorico !

LE MERLE, *lui montrant Chantecler*
qui paraît sur le mur.

Oui. Mais sauf ce détail tu vois que ça ressemble ?

LE PIGEON

Pas du tout !

Et regardant Chantecler d'un œil tout
autre que celui du Merle.

Moi, je vois, sous un cimier qui tremble
Venir le Chevalier superbe de l'Été,
Qui pour se draper d'or semble avoir emprunté
À quelque char du soir où la moisson vacille
Sa cape, qu'il retrousse avec une faucille !

CHANTECLER, *sur le mur,*
dans un long soupir guttural.

Cô…

LE MERLE

Quand il fait ce bruit dans sa gorge, en marchant,
C'est qu'il aime une poule ou qu'il médite un chant.

CHANTECLER, *immobile sur le mur,*
la tête haute.

Flambe !… Illumine !…

LE MERLE

Il dit des mots sans suite !

CHANTECLER

Embrase !…

UNE POULE

Il s'arrête, une patte en l'air…

CHANTECLER, *avec une sorte de râle*
de tendresse.

Cô…

LE MERLE

C'est l'extase !

CHANTECLER

Ton or est le seul or qui soit de bon conseil !
– Je t'adore !

LE PIGEON, *à mi-voix.*

À qui donc parle-t-il ?

LE MERLE, *d'un ton gouailleur.*

Au soleil !

CHANTECLER

Toi qui sèches les pleurs des moindres graminées,
Qui fais d'une fleur morte un vivant papillon,
Lorsqu'on voit, s'effeuillant comme des destinées,
Trembler au vent des Pyrénées
Les amandiers du Roussillon,

Je t'adore, Soleil ! ô toi dont la lumière,
Pour bénir chaque front et mûrir chaque miel,
Entrant dans chaque fleur et dans chaque chaumière,
    Se divise et demeure entière
    Ainsi que l'amour maternel !

Je te chante, et tu peux m'accepter pour ton prêtre,
Toi qui viens dans la cuve où trempe un savon bleu,
Et qui choisis souvent, quand tu vas disparaître,
    L'humble vitre d'une fenêtre
    Pour lancer ton dernier adieu !

LE MERLE, passant sa tête
entre les barreaux.

Nous n'y couperons pas, mes enfants : c'est une ode[17].

LE DINDON, regardant Chantecler qui,
par les degrés d'un tas de foin,
descend du mur.

Il avance, plus fier…

UNE POULE, s'arrêtant
devant une petite pyramide de fer-blanc.
Tiens ! l'abreuvoir !

Elle boit.

Commode.

LE MERLE

… Plus fier qu'un Toulousain qui chante : O moun Païs !

CHANTECLER, qui commence à marcher
dans la cour.

Tu fais tourner…

TOUTES LES POULES,
courant vers la Blanche.
Que croque-t-elle ?

LA POULE BLANCHE

Du maïs.

CHANTECLER

Tu fais tourner les tournesols du presbytère,
Luire le frère d'or que j'ai sur le clocher,
Et quand, par les tilleuls, tu viens avec mystère,
    Tu fais bouger des ronds par terre
    Si beaux qu'on n'ose plus marcher !

Tu changes en émail le vernis de la cruche ;
Tu fais un étendard en séchant un torchon ;
La meule a, grâce à toi, de l'or sur sa capuche,
    Et sa petite sœur la ruche
    A de l'or sur son capuchon !

Gloire à toi sur les prés ! Gloire à toi dans les vignes !
Sois béni parmi l'herbe et contre les portails !
Dans les yeux des lézards et sur l'aile des cygnes !
    Ô toi qui fais les grandes lignes
    Et qui fais les petits détails !

C'est toi qui, découpant la sœur jumelle et sombre
Qui se couche et s'allonge au pied de ce qui luit,
De tout ce qui nous charme as su doubler le nombre
    À chaque objet donnant une ombre
    Souvent plus charmante que lui !

Je t'adore, Soleil ! Tu mets dans l'air des roses,
Des flammes dans la source, un dieu dans le buisson !
Tu prends un arbre obscur et tu l'apothéoses !
    Ô Soleil ! toi sans qui les choses
    Ne seraient que ce qu'elles sont !

LE PIGEON

Bravo ! J'en parlerai longtemps à ma pigeonne !

CHANTECLER *l'aperçoit,*
et avec une noble courtoisie.

Jeune inconnu bleuâtre et dont le bec bourgeonne[18],
Merci ! – Vous me mettrez à ses pieds de corail[19] !

Le Pigeon s'envole.

LE MERLE

Il faut soigner les admirateurs !

CHANTECLER, *d'une voix cordiale,*
à la Basse-Cour.

Au travail.

Tous, gaîment !

Une mouche passe en bourdonnant.

Mouche active et sonore, je t'aime !
Regardez-la : son vol n'est qu'un don d'elle-même.

LE DINDON, *supérieur.*

Oui, mais dans mon estime elle a beaucoup perdu
Depuis l'histoire de…

CHANTECLER, *allant vers lui.*

De ?…

LE DINDON

De la Mouche du…

CHANTECLER

Mais cette histoire-là m'a toujours paru louche !
Et qui sait si le coche eût monté sans la mouche ?
Tu crois qu'il valut moins qu'un « hue ! » ou qu'un « dia ! »
Le psaume de soleil qu'elle psalmodia ?
Tu crois à la vertu d'un juron qu'on décoche
Et que c'est le cocher qui fit monter le coche ?
Non, non ! elle a plus fait que le gros fouet claqueur,
La petite musique où bourdonnait un cœur[20] !

LE DINDON

Oui... mais...

CHANTECLER, *lui tournant le dos.*

De nos travaux, tous, faisons-nous des joies !
C'est l'heure de conduire au bord de l'eau vos oies,
Messieurs les Jars !

UN JARS, *nonchalant.*

Vraiment, vous croyez ?

CHANTECLER, *marchant sur lui.*

Donc, les Jars,
Trêve aux cacardements oisifs et pataugeards !

Les Jars sortent vivement.

Toi, vieux Poulet, tu sais qu'il faut que tu ramasses
Avant ce soir au moins tes trente-deux limaces !
– Toi, futur Coq, va-t'en chanter « Cocorico »
Quatre cents fois devant l'écho !

LE JEUNE COQ, *un peu vexé.*

Devant l'écho ?

CHANTECLER

C'est ainsi que j'appris à m'assouplir la glotte
Quand ma coquille encor me servait de culotte !

UNE POULE, *prétentieuse.*

Tout ça n'a pas beaucoup d'intérêt...

CHANTECLER

Tout en a !
Veuillez aller couver les œufs qu'on vous donna !

*La Poule sort vivement. – À une autre
Poule :*

Toi, va sous la verveine et sous la potentille [21]
Gober tout ce qui ronge ! Ah ! ah ! si la chenille

Croit qu'on va de nos fleurs lui faire des cadeaux,
Elle peut se brosser le ventre… avec son dos !

La Poule sort. À une autre :

Toi, va sauver les choux qu'en de vieux coins incultes
La sauterelle assiège avec ses catapultes !

La Poule sort.
À toutes les Poules qui restent :

Vous…

Il aperçoit la Vieille Poule, dont la tête
vient de soulever le couvercle du panier.

Tiens : bonjour, nounou !…

Elle le regarde avec admiration.

J'ai grandi ?

LA VIEILLE POULE

Tôt ou tard
Il faut que la grenouille émerge du têtard !

CHANTECLER

Oui.

Le couvercle retombe.
Aux Poules, reprenant son ton de comman-
dement :

Vous, alignez-vous ! Vous irez, d'un pas preste,
Picorer dans les prés.

LA POULE BLANCHE, *à la Grise.*
Viens-tu ?

LA POULE GRISE

Tais-toi ! Je reste,
Moi, pour voir le Coucou !

Elle se cache derrière le panier.

CHANTECLER

La petite Houdan !
Vous avez l'air de vous aligner en boudant ?

LA POULE DE HOUDAN, *s'approchant.*

Coq…

CHANTECLER

Quoi ?

LA POULE DE HOUDAN
Moi que vous préférez…

CHANTECLER, *vivement.*

Chut !

LA POULE DE HOUDAN

Ça m'irrite
De ne pas savoir…

LA POULE BLANCHE,
qui s'est avancée de l'autre côté.
Coq…

CHANTECLER
Quoi ?

LA POULE BLANCHE, *câline.*
Moi, la favorite…

CHANTECLER, *vivement.*

Chut !

LA POULE BLANCHE
Je voudrais savoir…

LA POULE NOIRE,
qui s'est approchée doucement.

Coq...

CHANTECLER

Quoi ?

LA POULE NOIRE, *câline.*

Votre penchant

Pour moi...

CHANTECLER, *vivement.*
Chut !

LA POULE NOIRE
Dis-le-moi...

LA POULE BLANCHE

... Le secret...

LA POULE DE HOUDAN

... De ton chant ?

*Elle se rapproche de lui, et d'une voix
curieuse :*

Je crois que vous devez avoir dans la trachée
Une petite chose en cuivre.

CHANTECLER
Oui, bien cachée.

LA POULE BLANCHE, *même jeu.*
Vous devez, comme on dit que font les grands ténors,
Avaler des œufs frais.

CHANTECLER
Fichtre ! Ugolin [22], alors !

LA POULE NOIRE, *même jeu.*
Peut-être que, vidant leurs coques en spirales,
Tu mets les escargots en pâtes…

CHANTECLER
                              Pectorales ?
Oui.

TOUTES LES TROIS
Coq !…

CHANTECLER, *brusquement.*
Allez !

*Toutes les Poules vont pour sortir : il les
rappelle.*

Deux mots !

Elles s'arrêtent.

                              Quand vos crêtes de sang,
Apparaissant, disparaissant, reparaissant,
Auront, là-bas, parmi la sauge et la bourrache,
L'air de coquelicots jouant à cache-cache,
Ne faites pas de mal aux vrais coquelicots !
Les bergères, comptant les mailles des tricots,
Marchent sur l'herbe, sans savoir qu'il est infâme
D'écraser une fleur même avec une femme :
Vous, mes Poules, soyez pleines de soins touchants
Pour ces fleurs dont le crime est de pousser aux champs.
La carotte sauvage a le droit d'être belle.
Si sur la plate-forme exquise d'une ombelle
Marche un insecte rouge et pointillé de noir,
Cueillez le promeneur, mais non le promenoir !
Les fleurs d'un même champ sont des sœurs, il me
                                                    [semble,
Qui doivent sous la faux tomber toutes ensemble.
Allez !

Elles vont pour sortir. Il les rappelle.

Et, vous savez, quand les poules vont aux…

UNE POULE, *s'inclinant.*

Champs…

CHANTECLER
La première…

TOUTES LES POULES, *s'inclinant.*
Va devant !

CHANTECLER
Allez !

*Elles vont pour sortir. Les rappelant brus-
quement :*

Deux mots :

D'une voix grave.

Jamais en traversant la route on ne picore !

Les Poules s'inclinent.

– Vous pouvez traverser !

UNE TROMPE, *au loin.*
Pouh ! Pouh ! Pouh !

CHANTECLER, *se précipitant devant elles,
les ailes ouvertes.*
Pas encore !

LA TROMPE, *tout près,
au milieu d'un ronflement terrible.*
Pouh ! Pouh ! Pouh !

CHANTECLER, *leur barrant le passage
pendant que tout tremble.*
Attendez !

LA TROMPE, *très éloignée,*
dans le ronflement qui décroît.

Pouh ! Pouh ! Pouh !

CHANTECLER, *leur laissant la route libre.*

À présent !

LA POULE GRISE, *cachée.*

On n'a pas pu me voir !

LA POULE DE HOUDAN,
en sortant la dernière.

Comme c'est amusant !
Tout ce qu'on va manger va sentir le pétrole !

SCÈNE III

CHANTECLER, LE MERLE dans sa cage,
LE CHAT, toujours endormi sur le mur.
LA POULE GRISE cachée derrière le panier
de LA VIEILLE POULE.

CHANTECLER, *à lui-même,*
après un temps.

Non, je n'appuierai pas sur une âme frivole
Ce secret dont la gloire est plus lourde qu'un roc.
Moi-même, oublions-le !

En secouant ses plumes.

Soyons gai d'être Coq !

Il piaffe de long en large.

Je suis beau. Je suis fier. Je marche. Je m'arrête.
J'esquisse une gambade ou de brusques écarts !
Et parfois il advient que par quelque amourette
Je scandalise la charrette
Qui lève au ciel ses deux brancards !

À demain les soucis ! Mâchonnons un brin d'orge !
Soyons gai ! Ce que j'ai sur la tête et sous l'œil
Est plus rouge, lorsqu'en marchant je me rengorge,
    Que le foulard d'un rouge-gorge
    Ou que le gilet d'un bouvreuil !

Il fait beau. Tout va bien. Je fanfare et je fringue [23].
Ayant fait mon devoir, je peux prendre cet air
Que mon ami le Merle appelle « à la Mélingue [24] » ;
    Et, mousquetaire et camerlingue [25],
    Je peux…

UNE VOIX, *terrible*.
Prends garde, Chantecler !

CHANTECLER
Quel est donc l'animal qui m'a crié « Prends garde » ?

> *Un bruit de paille remuée se fait entendre
> dans la niche du chien.*

SCÈNE IV

*LES MÊMES, PATOU ; UNE BÊTE passe
de temps en temps.*

PATOU, *aboyant du fond de sa niche*.
Moi ! moi !

> *Il apparaît.*

CHANTECLER, *reculant*.
C'est toi, Patou, bonne tête hagarde
Qui sors de l'ombre avec des pailles dans les yeux ?

PATOU
Oui ! pour voir dans les tiens des poutrrrres [26] !

CHANTECLER

Furieux ?

PATOU

Rrrr…

CHANTECLER

Quand il roule l'*R*, il est très en colère !

PATOU

C'est par amour pour toi que je la roule, l'*Rrrr…*
Gardien de la maison, du jardin et du champ,
Ce que je dois surtout protéger, c'est ton chant !
Et je grogne au danger. C'est mon humeur.

CHANTECLER

De dogue !

PATOU

Tu fais des mots ? Ça va très mal ! Le psychologue
Que je suis sent le mal s'accroître.

Il renifle.

Et j'ai le flair

D'un ratier[27] !

CHANTECLER
Tu n'es pas un ratier.

PATOU, *secouant la tête.*

Chantecler,

Qu'en savons-nous ?

CHANTECLER, *le considérant.*

C'est vrai que ta race est étrange.

Au fait, qu'es-tu ?

PATOU
Je suis un horrible mélange !

Je suis le chien total, fils de tous les passants !
J'entends japper en moi la voix de tous les sangs :
Griffons, mastiffs, briquets d'Artois ou de Saintonge,
Mon âme est une meute assise en rond, qui songe !
Coq, je suis tous les chiens, je les ai tous été.

CHANTECLER

Ça doit faire une somme énorme de bonté !

PATOU

Vois-tu, nous sommes faits pour nous entendre, frère !
Tu chantes le soleil et tu grattes la terre :
Moi, quand je veux m'offrir un instant sans pareil…

CHANTECLER

Tu te couches par terre et tu dors au soleil !

PATOU, *avec un petit jappement heureux.*

Oui !

CHANTECLER

Cette double amour[28] nous fut toujours
[commune !

PATOU

J'aime tant le soleil que je hurle à la lune ;
Et j'adore à ce point le sol que, tout le temps,
Je fais des trous pour y fourrer mon nez dedans !

CHANTECLER

Je sais ! Cela désole assez la jardinière !
– Mais quels dangers vois-tu ? Tout est calme et lumière ;
Mon règne humble et doré n'a pas l'air menacé.

LA VIEILLE POULE,
sortant la tête du panier.

L'œuf a l'air d'être en marbre avant d'être cassé !

Le couvercle retombe.

CHANTECLER, *à Patou.*

Quels dangers ?

PATOU

Ils sont deux. D'abord, dans cette cage…

On entend siffler le Merle.

CHANTECLER

Eh bien ?

PATOU

Ce sifflotis.

CHANTECLER

Que fait-il ?

PATOU

Il saccage !

CHANTECLER

Quoi ?

PATOU

Tout !

CHANTECLER, *ironique.*

Ah ! diable !

À ce moment, Le Paon, au loin, pousse un cri :

É… on !

PATOU

Et puis ce cri…

LE PAON, *plus lointain.*

É… on !

PATOU, *grinçant des dents.*

… Plus faux à lui tout seul que tout un orphéon !

CHANTECLER

Que t'ont fait ce siffleur et ce preneur de poses ?

PATOU, *bougon.*

Ils m'ont fait que je sais qu'ils te feront des choses.
Ils m'ont fait que chez nous, bons et purs animaux,
Le Paon fait de l'esbrouffe et le Merle des mots !
Que l'un, avec les goûts grotesques et postiches
Qu'il prit en paradant sur des perrons trop riches,
L'autre, avec le jargon nonchalamment voyou
Qu'il dut prendre en allant traîner je ne sais où,
L'un, commis voyageur du rire qui corrode,
Et l'autre, ambassadeur stupide de la Mode,
Chargés d'éteindre ici l'amour et le travail,
L'un à coups de sifflet, l'autre à coups d'éventail,
Ils nous ont apporté dans la lumière blonde
Ces deux fléaux, qui sont les plus tristes du monde :
Le mot qui veut toujours être le mot d'esprit,
Le cri qui veut toujours être le dernier cri [29] !
– Toi qui sus préférer le vrai grain à la perle,
Comment te laisses-tu prendre à ce… vilain Merle ?

> *On entend le Merle s'exercer à siffler :*
> *« Ah ! qu'il fait donc bon… »*

Un oiseau qui travaille un air !

CHANTECLER, *indulgent.*

                    Enfin… enfin…
Il siffle un air !

PATOU, *concédant,*
dans un petit grognement qui s'allonge.

Ou… i. Mais pas jusqu'à la fin !

CHANTECLER, *regardant*
sautiller le Merle.

Il est léger !

PATOU, *même jeu.*

Ou… i. Mais sur notre âme il pèse !
Un oiseau qui consent à faire du trapèze !

CHANTECLER

Et puis, voyons, il est intelligent.

PATOU, *dont le grognement*
s'allonge de plus en plus.

Ou… i.
Mais pas très : car son œil n'est jamais ébloui.
Il a, devant la fleur, dont il voit trop la tige,
Le regard qui restreint et le mot qui mitige.

CHANTECLER

Mon cher, il a du goût.

PATOU

Ou… i. Mais pas beaucoup !
Être noir, c'est avoir à coup trop sûr du goût :
Il faut savoir risquer des couleurs sur son aile !

CHANTECLER

Enfin… sa fantaisie est assez personnelle.
Il est très drôle.

PATOU

Ou… non ! Drôle, parce qu'il prit
Quelques locutions qui remplacent l'esprit ?
Qu'il croit inaugurer des syntaxes alertes,
Et qu'il dit : « On est des » pour : « Je suis un » ? Non, certes !

CHANTECLER

Il a de l'imprévu.

PATOU

Facile, mais grossier.
Je ne crois pas qu'il soit extrêmement sorcier
De dire, lorsqu'on voit une vache qui broute :
« La vache la connaît dans les foins » ; et je doute
Que d'un particulier génie on ait besoin
Pour répondre au canard : « Ça t'en bouche un coin-coin ! »
La blague de ce Merle à qui je suis hostile
N'est pas plus de l'esprit que son argot du style !

CHANTECLER

Il n'est pas tout à fait responsable. Il subit
Son costume moderne.

PATOU
Ah ?

CHANTECLER, *lui montrant le Merle.*
Il est en habit !
Il a l'air, dans son frac d'une coupe gentille…

PATOU

Du petit croque-mort de la Foi, qui sautille.

CHANTECLER, *riant.*
Là ! tu le fais plus noir qu'il n'est.

PATOU

J'ai remarqué
Que le merle siffleur n'est qu'un corbeau manqué.

CHANTECLER

Oui, mais sa petitesse…

PATOU, *agitant terriblement
ses oreilles.*
Ah ! méfions-nous d'elle !
Le mal, pour commencer, crée un petit modèle.
Ne prends pas des essais pour des diminutifs :
L'âme des coutelas rêve dans les canifs ;

Le merle et le corbeau sont faits du même crêpe,
Et, jaune et noir, le tigre est déjà dans la guêpe !

CHANTECLER, *amusé par la fureur*
de Patou.

Bref, le Merle est méchant, il est bête, il est laid…

PATOU

Il est surtout… que l'on ne sait pas ce qu'il est.
Pense-t-il un instant ? Sent-il une minute ?
Tu ! tu ! tu !

CHANTECLER
Mais quel mal fait-il ?

PATOU
Il *tututute* !
Et rien n'est plus fatal, pour qui pense et qui sent,
Que ce vil *tu-tu-tu* complexe et réticent !
Oui, chaque jour – voilà pourquoi je roule l'*Rrrr* –
J'entends baisser les cœurs et le vocabulaire.
Ah ! c'est à devenir enragé !

CHANTECLER
Mais, Patou !…

PATOU

Selon leur mot ignoble, on rigole de tout ;
Et moi, qui ne suis pas cependant un King-Charles,
Quand je dis quelque chose on me répond : « Tu parles [30] ! »
Oh ! fuir ! suivre un berger qui n'a rien dans son sac !
Mais, du moins, quand la nuit on lape l'eau du lac,
Avoir – ce qui vaut mieux que tous les os à moelles –
La fraîche illusion de boire les étoiles !

CHANTECLER, *étonné de ce que Patou,*
sur les derniers mots, a baissé la voix.

Pourquoi parles-tu bas ?

PATOU

Oui, maintenant, tu vois,
Quand on parle d'étoile il faut baisser la voix.

Il met tristement sa tête sur ses pattes.

CHANTECLER, *le consolant.*

Voyons !

PATOU, *se redressant.*

Mais c'est trop bête et c'est trop lâche, en somme.
Je crierai si je veux.

Il hurle de toute sa voix :

Étoiles !…

Puis, comme soulagé :

Nom d'un homme !

DES POULETS, *qui passent,
au fond, ricanant.*

Étoile ! À nous ! azur ! – Étoile !

Ils s'éloignent en bouffonnant.

PATOU

Écoute-les !
On entendra bientôt siffloter les poulets !

CHANTECLER, *se promenant fièrement.*

Que m'importe ! Je chante ! et j'ai pour moi les poules !

PATOU

Méfions-nous du cœur des poules – et des foules !
Tu cueilles trop le prix de tes cocoricos
Sur des becs !

CHANTECLER

Mais l'amour, c'est la gloire en bécots !

PATOU

Moi, je fus jeune aussi. J'eus, ma beauté du diable…
Un œil incendiaire, un cœur incendiable.
Eh bien, je fus trompé. Pour un autre plus beau ?
Non ! elles m'ont trompé pour un sale cabot !

Rugissant tout d'un coup.

Trompé pour qui ? pour qui ? Le sais-tu ?

CHANTECLER, *reculant.*

Tu m'effrayes !

PATOU

Pour un basset qui se marchait sur les oreilles !

LE MERLE, *qui a entendu les derniers cris
de Patou, passant la tête à travers
les barreaux de sa cage.*

Comment ! il crie encore à propos du basset ?
Eh bien, quoi ? tu le fus ! L'être, qu'est-ce que c'est ?
On l'est tous ! C'est la négligeable contingence !
Et moi-même, malgré ma vive intelligence,
Tout en noir, mais trahi par mon bec jaune d'œuf,
Je ne suis qu'un cocu qui veut passer pour veuf !

PATOU

Cette plaisanterie est au moins singulière.
Il est certains sujets, pourtant…

LE MERLE

La muselière !

PATOU

Mais toi qui te permets là-haut de tout railler,
Qu'es-tu donc ?

LE MERLE

Je suis le titi du poulailler.

PATOU

Et tu lui porteras malheur !

LE MERLE

Tu vaticines ?

Je descends !

En sautillant le long des branches tordues
des glycines, il descend de sa cage.

On se tord, n'est-ce pas, les glycines ?

PATOU, *le voyant approcher.*

Rrrr…

CHANTECLER

Chut ! c'est un ami !

PATOU

Qui t'arrange en dessous !

CHANTECLER, *au Merle.*

On apprend du joli quand on parle de vous !

LA VIEILLE POULE,
sortant la tête de son panier.

Qui touche un bois pourri voir sortir des cloportes !

Le couvercle retombe.

PATOU, *à Chantecler.*

Il fait des mots sur toi.

LE MERLE, *à Patou.*

Ah ! bon chien, tu rapportes ?

PATOU

Il dit, lorsque ton cœur s'épuise en cris ardents,
Que c'est pour nous scier[31] que ta crête a des dents !

CHANTECLER, *au Merle.*

Tu dis ça ?

LE MERLE, *ingénu.*

Que veux-tu ? ça ne peut pas te nuire,
Et les mots que l'on fait sur toi font toujours rire !

PATOU, *au Merle.*

Enfin, admirez-vous ou raillez-vous le Coq ?

LE MERLE

Je le blague en détail, mais je l'admire en bloc.

PATOU

Tu picores toujours deux grains.

LE MERLE, *montrant sa cage.*

J'ai deux soucoupes !

PATOU

Moi, je suis plus tranchant !

LE MERLE

Tiens, parbleu ! toi, tu coupes !
Tu n'es qu'un vieux barbet de Quarante-Huit ! – Moi,
Je suis, dame [32] ! un oiseau très averti.

PATOU, *brusquement,*
s'élançant vers lui,
mais il est retenu par sa chaîne.

De quoi ?
– File ! ou ton croupion de noir deviendra rose.

Le Merle s'éloigne rapidement. Et Patou
rentre dans sa niche en disant :

Maintenant il est averti [33] de quelque chose !

CHANTECLER

Calme-toi ! C'est un air qu'il prend ! La vérité,

C'est que, s'il était mis devant de la beauté,
Ce Merle applaudirait !

PATOU

                    Pas des deux ailes, certes !
Qu'attendre d'un oiseau dont la cage est ouverte,
Qui voit le chèvrefeuille et le sempervirens[34],
Et rentre pour manger un vieux biscuit de Reims !

LE MERLE

Il n'a pas l'air de s'en douter une minute :
Le pâle braconnier n'est qu'une sombre brute !

PATOU

Je sais que les sous-bois sont pleins d'un or léger !

LE MERLE

Oui : mais en un plomb vil cet or peut se changer.
La grive est un oiseau si grivois qu'il s'esbigne[35]
De peur d'être rôti dans des feuilles de vigne ;
Alors, faute de grive… Hé !… Il serait fâcheux
Que je fusse fauché par un vieux Lefaucheux[36] !

PATOU

Le grand cerf trouve-t-il sa forêt moins superbe
Parce que son sabot rencontre un soir dans l'herbe
Un débris de cartouche en train de se rouiller ?

LE MERLE

Non, mon vieux… mais le cerf n'est qu'un grand
                                    [andouiller !

PATOU

Oh !… Mais la liberté, sous l'œil des violettes !
L'amour !

LE MERLE

                    Tout ça, c'est des vieilles escarpolettes[37],
Et qui ne valent pas mon trapèze en bois neuf !
Ô ma cage ! signons le joyeux trois-six-neuf[38].
On est des ducs ; on a de l'eau filtrée à boire ;

> *Patou fait un mouvement pour s'élancer*
> *sur lui ; il file en ajoutant :*

Et tu peux m'envoyer au bain [39] j'ai ma baignoire !

CHANTECLER, *légèrement impatienté.*
Ah ! pourquoi donc toujours descendre à des argots ?

LE MERLE
C'est pour vous faire un peu grimper sur des ergots.

PATOU, *exaspéré.*
Rrrr… De cette présence il est urgent qu'on purge…

LE MERLE
On ne dit pas : « Il est urgent » ; on dit : « Il urge ! »

CHANTECLER
Qu'est-ce que tous ces mots ?

LE MERLE
                    Mais c'est des mots très bien.
J'ai connu dans le temps un moineau parisien :
On parle comme ça rue Auber ou Saint-George !

CHANTECLER
Moi, j'ai beaucoup connu le petit rouge-gorge
Qui fut pendant longtemps l'ami de Michelet [40] :
Ce n'était pas du tout comme ça qu'il parlait !

LE MERLE
Que veux-tu ? j'ai l'esprit que mon siècle m'insuffle,
Et tout bec un peu chic se doit d'être un peu mufle !

PATOU
Les voilà, leurs deux mots ! J'écume ! Ce loustic
Apporta le mot « mufle » et le Paon le mot « chic » !

CHANTECLER, *dédaigneux.*
Oh ! le Paon !

PATOU, *avec fureur.*

Oui, le Paon !

LE MERLE, *à Chantecler,*
lui montrant la gueule de Patou.

Les vois-tu, les écumes ?

CHANTECLER

Le Paon, qu'est-ce qu'il fait ?

LE MERLE

De l'œil avec ses plumes !

PATOU

Son dandysme a troublé d'humbles cœurs plébéiens !

CHANTECLER

À quoi vois-tu son influence ?

PATOU

À mille riens !

LA VIEILLE POULE, *apparaissant.*
La bulle de savon qui descend les rivières
Nous apprend qu'il y a, plus haut, des lavandières.

Le couvercle retombe.

CHANTECLER

Je n'ai pas encor vu la moindre bulle qui…

PATOU, *lui montrant*
un cochon d'Inde qui passe.

Tiens, vois ce cochon d'Inde.

CHANTECLER, *le regardant.*

Il est jaune.

LE COCHON D'INDE, *rectifiant,*
d'un ton vexé.

Kaki[41] !

CHANTECLER, *à Patou.*

Ka ?...

PATOU

Une bulle !...

Lui montrant un canard qui passe.

Et ce canard qui déambule...

CHANTECLER, *regardant*
le canard, en riant.

Il va prendre son bain.

LE CANARD *se retourne,*
et rectifiant sèchement.

Mon tub[42] !

CHANTECLER, *stupéfait.*

Son ?...

PATOU

Une bulle !

À ce moment, dans la maison on entend
le Coucou de l'horloge sonner :

Coucou !

LA POULE GRISE, *quittant sa cachette*
et courant éperdument vers la chatière.

Lui !... Par la porte à Raminagrobis[43],
Enfin, je vais le voir !

Elle introduit sa tête dans le trou.
Le Coucou ne chante plus.

Hélas ! C'est trop tard !

Criant.

Bis !

CHANTECLER, *qui s'est retourné au bruit.*

Hein ?

LA POULE GRISE, *désespérée,*
dans la chatière.

Il ne sonne plus !

LE MERLE

C'était une demie !

CHANTECLER, *brusquement,*
arrivé derrière la Poule Grise.

Vous n'êtes pas aux champs ?

LA POULE GRISE,
se retournant avec effroi.

Dieu !

CHANTECLER

Que fait-on, ma mie,

Là, dans cette chatière ?

LA POULE GRISE, *troublée.*

Oh ! j'allongeais le cou…

CHANTECLER

Pour voir qui ?

LA POULE GRISE, *de plus en plus troublée.*

Oh !

CHANTECLER, *dramatique.*

Qui ?

LA POULE GRISE
Oh !

CHANTECLER
Avouez !

LA POULE GRISE,
d'une voix de femme coupable.
Le Coucou !

CHANTECLER, *abasourdi.*
Vous l'aimez ? Pourquoi donc ?

LA POULE GRISE, *baissant les yeux,*
avec émotion :
Il est suisse [44] !

PATOU
Une bulle !

LA POULE GRISE
C'est un penseur ! Il sort...

CHANTECLER
Elle aime une pendule !

LA POULE GRISE, *avec enthousiasme.*
Il sort toujours à la même heure, comme Kant [45] !

CHANTECLER
Comme quoi ?

LA POULE GRISE
Comme Kant !

CHANTECLER
Ça, c'est estomaquant !

À la Poule Grise.

Allez-vous-en !

LE MERLE

Fichez le Kant !

La Poule sort précipitamment.

CHANTECLER, *se promenant*
avec agitation.

Quelle toquade !
Où donc a-t-elle appris que Kant ?…

PATOU

Chez la Pintade.

CHANTECLER

Cette vieille Pintade aux cris hurluberlus
Qui se plâtre le bec…

PATOU

A pris un jour !

CHANTECLER

De plus ?

PATOU

Non, de réception.

CHANTECLER

De réc ?… Où reçoit-elle ?

LE MERLE

Mais dans un coin du potager.

PATOU

Sous la tutelle
De cet homme de paille au vieux gibus infect.

CHANTECLER

L'Épouvantail ?

LE MERLE
Oui. Grâce à lui, c'est plus *select* !

CHANTECLER

Comment ?

LE MERLE

Oui, tu comprends, il maintient à distance
Tous les petits oiseaux dénués d'importance.
Les parents pauvres, ça fait mal dans un salon.

CHANTECLER

Le jour de la Pintade !

PATOU, *flegmatique.*
Une bulle !

CHANTECLER
Un ballon !

LE MERLE, *imitant la voix de la Pintade.*
Le lundi !

CHANTECLER
Que fait-on chez cette folle ?

PATOU
On glousse.
Le Dindonneau se lance et le Poussin se pousse.

LE MERLE, *imitant la Pintade.*
Ce cinq à six.

CHANTECLER
Le soir ?

PATOU
Non, le matin.

CHANTECLER,
qui va de surprise en surprise.

Comment ?

LE MERLE

Tu comprends, il fallait profiter d'un moment
Où le jardin est vide, et que ce fût quand même
Un five o'clock. Alors, on a pris l'heure blême
Où le vieux jardinier va chez le mastroquet[46]
Et pour tuer un ver étouffe un perroquet[47].

CHANTECLER

C'est fou !

LE MERLE
Totalement.

PATOU, *au Merle.*
Toi, tu n'as rien à dire,

Tu y vas !

CHANTECLER, *regardant le Merle.*
Il y va ?

LE MERLE
J'y vais. On m'y admire.

PATOU

Et je crains…

CHANTECLER, *regardant Patou.*
Que dis-tu dans ton faux col de clous ?

PATOU
… Que quelque poule un jour t'y fasse aller.

CHANTECLER

Moi ?

PATOU

Vous !

CHANTECLER

Moi ?

PATOU

Par le bout du bec !

CHANTECLER, *furieux.*

Moi ?

PATOU

Quand passe une poule
Nouvelle, c'est plus fort que toi, tu perds la boule !

LE MERLE

Tu te mets à tourner…

Il imite la marche du Coq autour d'une poule.

« Oui, C'est moi… me voilà ! »
Et tu fais : « Cô… »

CHANTECLER

Est-il bête, cet oiseau-là !

LE MERLE, *continuant à l'imiter.*

Ton aile pend… Ton pied dessine une chaconne…[48].

On entend un coup de feu, au loin.

Ah ! je n'aime pas ça !

PATOU, *tressaillant et reniflant.*

Le grand Jules braconne.

LE MERLE

Chien, ça t'excite ?

PATOU, *l'œil brillant, l'oreille dressée.*
Oui… ça me…

Et, tout d'un coup, comme se domptant,
d'une voix émue :

Non !

LE MERLE
Tu t'attendris ?

PATOU
Oh ! c'est affreux ! Peut-être une pauvre perdrix !…

LE MERLE, *narquois.*
Tiens ! l'âge a mis de l'eau…

PATOU
Dans mes yeux !

LE MERLE
Rhumatisme,
Tu donnes des accès d'animalitarisme !

PATOU
Non, mais j'ai plusieurs chiens en moi. Je lutte un peu.
Ma truffe d'épagneul se dresse aux coups de feu.
Mais alors, avec ma mémoire de caniche,
J'évoque une aile en sang, un œil mourant de biche,
Ce que met un lapin dans son dernier regard…
Et je sens s'éveiller mon cœur de saint-bernard !

Nouvelle détonation.

LE MERLE, *se cachant derrière le panier.*
Encor !

SCÈNE V

Les Mêmes, Un Faisan Doré, puis Briffaut.

UN FAISAN DORÉ, *volant brusquement*
par-dessus le mur, et tombant,
affolé, dans la cour.

Cachez-moi !

CHANTECLER

Ciel !

PATOU

Un faisan doré !

LE FAISAN DORÉ, *allant vers Chantecler.*

N'est-ce

Pas le grand Chantecler ?

LE MERLE, *derrière le panier.*

Faut-il qu'on le connaisse !

LE FAISAN DORÉ,
qui court de tous les côtés.

Sauvez-moi, si c'est vous !

CHANTECLER

C'est moi. Fiez-vous-en…

Nouvelle détonation.

LE FAISAN DORÉ, *sursautant*
et se jetant contre Chantecler.

Ah ! mon Dieu !

CHANTECLER

Mais c'est très nerveux, un coq faisan !

LE FAISAN DORÉ
Je n'en peux plus ! J'ai trop couru !

Il s'évanouit.

LE MERLE
V'lan ! la syncope !

CHANTECLER,
qui soutient d'une aile le Faisan.
Qu'il est beau quand son col tombe et se développe !

Il court vers l'abreuvoir.

De l'eau !... C'est qu'on a peur de l'abîmer !

Il l'éclabousse vivement de son autre aile.

De l'eau !

LE FAISAN DORÉ, *revenant à lui.*
On me poursuit ! Ah ! cachez-moi !

LE MERLE
C'est du mélo !

Au Faisan.

Comment diable a-t-on pu vous manquer ?

LE FAISAN DORÉ,
allant et venant, éperdu.
Par surprise !
Le chasseur n'attendait qu'une alouette grise.
En me voyant partir, il a dit « Sacrebleu ! »
Il n'a vu que de l'or. Je n'ai vu que du feu !
Mais le chien me poursuit, un affreux chien…

*Se trouvant devant Patou, il ajoute
vivement :*

… de chasse !

À Chantecler.

Cachez-moi !

>   CHANTECLER, *agité.*
>   C'est qu'il est voyant. Ça m'embarrasse.
> Où le cacher ? Monsieur… Seigneur… Noble étranger…
> – Où cacher l'arc-en-ciel s'il était en danger ?

>   PATOU
> Là, près du petit banc qui supporte deux ruches,
> J'habite un chalet vert qu'on cale avec des bûches :
> Entrez !

>   *Le Faisan Doré entre ; mais sa longue*
>   *queue sort toujours de la niche.*

> Ces manteaux d'or sont vraiment trop cossus !
> Un bout dépasse encor, là… Je m'assois dessus !

>   *Il s'assied sur les plumes qui dépassent, et*
>   *feint de manger sa pâtée dans l'écuelle qui*
>   *est devant sa niche. Paraît Briffaut, au-*
>   *dessus du mur. Longues oreilles tombantes*
>   *et bajoues tremblantes.*

>   PATOU, *à Briffaut,*
>   *d'un air qui veut être dégagé.*

Bonjour !

>   BRIFFAUT, *reniflant.*
>   Hum ! bonne odeur !

>   PATOU, *modestement,*
>   *montrant son écuelle.*
>   Soupe à la paysanne !

>   BRIFFAUT, *rapidement.*
> Dis donc, tu n'as pas vu passer une faisane ?

>   PATOU, *étonné, réfléchissant.*
Une faisane ?

CHANTECLER, *qui se promène*
avec une gaieté forcée.
Est-il féroce, ce Briffaut,
Avec son air de vieil Anglais très comme il faut !

PATOU, *à Briffaut.*
Non. Mais j'ai vu passer un faisan.

BRIFFAUT
C'était elle !

PATOU
La faisane a toujours une robe isabelle.
C'était un faisan d'or. Il a pris par le pré.

BRIFFAUT
C'est elle !

CHANTECLER, *s'avançant, incrédule.*
Une faisane à plumage doré ?

BRIFFAUT
Ah ! vous ne savez pas ce qui parfois se passe ?

CHANTECLER ET PATOU
Non.

LE MERLE
Il va raconter une histoire de chasse !

BRIFFAUT
Il arrive parfois… – C'est exceptionnel :
Mon maître dit qu'il a lu ça dans Toussenel [49]. –
Il advient… – C'est un fait très extraordinaire
Que l'on remarque aussi chez les coqs de bruyère. –
Il advient…

PATOU, *impatienté.*
Quoi ?

BRIFFAUT
Que la faisane… ah ! mes amis…

CHANTECLER, *qui piétine.*
Mais quoi donc ?

BRIFFAUT
… Trouve un jour le faisan trop bien mis.
Quand le mâle au printemps met ses habits de fête,
Elle voit qu'il est plus beau qu'elle…

LE MERLE
Ça l'embête !

BRIFFAUT
Elle cesse de pondre et de couver. Alors,
La Nature lui rend les pourpres et les ors,
Et la faisane, libre et superbe amazone,
Fuit, préférant avoir du bleu, du vert, du jaune,
Et toutes les couleurs du prisme sur son dos,
Que, sous une aile grise, avoir des faisandeaux.
Dame ! elle s'affranchit des vertus de son sexe !
Elle vit !…

Il fait un geste léger, de la patte.

CHANTECLER, *sèchement.*
Qu'en sais-tu, d'abord ?

BRIFFAUT, *étonné.*
Quoi ?… ça le vexe ?

PATOU, *à part.*
Déjà ?

CHANTECLER, *nerveux.*
Bref, ce faisan que ton patron rata ?

BRIFFAUT
C'était une faisane !

Il s'arrête et renifle.

Oh ! mais…

PATOU, *montrant vite son écuelle.*
                              C'est mon rata !

BRIFFAUT, *reniflant encore.*
Il sent très bon.

CHANTECLER, *à part.*
                    Je n'aime pas quand il renifle.

BRIFFAUT, *recommençant une histoire.*
Figurez-vous qu'un jour…

LE MERLE
                    Encore une !

On entend siffler au loin.

CHANTECLER, *vivement.*
                              On te siffle !

BRIFFAUT

Diable ! Bonsoir.

Il disparaît.

PATOU
Bonsoir !

CHANTECLER
                    Enfin, parti !

LE MERLE, *appelant.*
                              Briffaut !

CHANTECLER
Dieu ! que fais-tu ?

LE MERLE, *criant.*
Je veux te dire un mot.

BRIFFAUT, *dont la tête*
reparaît sur le mur.

Un mot ?

LE MERLE
Oui. Prends garde, Briffaut !

CHANTECLER, *bas, au Merle.*
De nos peurs tu te joues !

LE MERLE
Car tu vas perdre quelque chose…

BRIFFAUT

Quoi ?

LE MERLE

Tes joues !

BRIFFAUT, *disparaissant,*
dans un grognement de fureur.
Hon !…

SCÈNE VI

CHANTECLER. LE MERLE. PATOU. LA FAISANE.
LE CHAT, toujours endormi sur le mur,
LA VIEILLE POULE dans son panier.

CHANTECLER, *après un instant,*
au Merle, qui, de sa cage où il est remonté,
voit par-dessus le mur.
Il est loin ?

LE MERLE
Très loin !

CHANTECLER, *allant vers la niche*
de Patou.
Sortez, Madame !

LA FAISANE, *apparaissant*
sur le seuil de la niche.
Eh bien !
Révoltée, affranchie, oui… comme a dit ce chien !
Mais de très grande race, et fière autant que franche,
Et faisane des bois !

Elle sort, d'un bond.

LE MERLE
Fichtre ! elle a de la branche !

LA FAISANE, *qui va et vient,*
avec une fébrilité sauvage.
J'habite la forêt où braconne…

CHANTECLER
Ce fou
Qui voulait enchâsser du plomb dans un bijou !

LA FAISANE
Sous le feuillage épais que le soleil transperce,
Je vis ! Mais c'est d'ailleurs que je viens. D'où ? De Perse ?
De Chine ? On ne sait pas ! Mais on peut être sûr
Que j'étais faite pour chatoyer dans l'azur
Parmi les thuyas verts gonflés de sandaraque [50],
Et non pour fuir sous des ronciers, devant un braque !
Suis-je l'ancien Phénix [51] ou la poule Kin-Ky [52] ?
D'où fus-je rapportée ? et comment ? et par qui ?
La Fable tergiverse et m'offre un choix splendide.
C'est pourquoi je choisis d'être née en Colchide [53]
D'où j'ai dû revenir sur le poing de Jason !
Je suis en or. C'est moi, peut-être, la Toison !

PATOU

Qui, vous ?

LA FAISANE

Moi, le Faisan !

PATOU, *rectifiant doucement.*

La Faisane.

LA FAISANE

Ma race !

Car je la représente, ayant pris la cuirasse
De pourpre. Oui, ce destin que longtemps je subis
D'être une feuille morte à côté d'un rubis
M'ayant un jour semblé décidément trop pâle,
J'ai volé son plumage éblouissant au mâle.
Et j'ai bien fait, car je le porte mieux que lui !
La palatine [54] d'or sur moi se gonfle et luit ;
J'ai donné plus de grâce à la verte épaulette,
Et d'un simple uniforme ai fait une toilette !

CHANTECLER

Mais c'est qu'elle est étourdissante !

PATOU, *à part.*

Sapristi !

Il ne va pourtant pas aimer un travesti !

LE MERLE, *qui est redescendu
en sautillant.*

Il faut absolument prévenir la Pintade
Qu'il passe un oiseau d'or ! Elle en sera malade !
Elle va l'inviter !

À Chantecler.

Je m'en vais faire un tour.

Il sort.

CHANTECLER, *se rapprochant*
de la Faisane.

Vous venez d'Orient, alors, comme le Jour ?

LA FAISANE

Ma vie a le désordre amusant d'un poème.
Si je vins d'Orient, ce fut par la Bohême !

PATOU, *à part, navré.*

Bohémienne !

LA FAISANE, *à Chantecler,*
en faisant jouer les couleurs de son col.

Avez-vous remarqué ces deux tons ?
Il n'y a que l'Aurore et moi qui les portons !
Princesse des sous-bois et Reine des clairières,
J'ai le jaune chignon qu'ont les aventurières.
Nostalgique, j'ai pris pour palais palpitants
Les iris desséchés qui bordent les étangs.
J'adore la forêt, et lorsque, septembrale,
Elle sent le bois mort…

PATOU, *consterné.*

C'est une cérébrale !

LA FAISANE

… Folle comme une branche un jour de siroco,
Je m'agite, je vibre et je m'énerve…

CHANTECLER, *qui depuis un instant*
commence à laisser traîner son aile,
se met à tourner
(comme faisait tout à l'heure le Merle
en l'imitant) et fait son bruit de gorge,
très doux.

Cô…

La Faisane le regarde. Il se croit encou-
ragé et reprend plus fort, en tournant.

Cô...

CENTER: LA FAISANE

Monsieur j'aime mieux vous dire tout de suite
Que si c'est pour moi...

CHANTECLER, *s'arrêtant.*
Quoi ?

LA FAISANE

L'œil, la courbe décrite,
L'aile qui pend, le « Cô... »

CHANTECLER
Mais je...

LA FAISANE

C'est très bien fait :
Seulement, ça ne me fait pas le moindre effet.

CHANTECLER, *un peu démonté.*

Madame...

LA FAISANE

Oh ! je comprends. On est le Coq illustre,
Il n'est pas une poule au monde qui ne lustre
Ses plumes dans l'espoir – certes, des plus touchants,
De pouvoir vous distraire, un jour, entre deux chants !
On est si sûr de soi que jamais on n'hésite,
Même quand la personne est chez vous en visite
Et n'est pas tout à fait la poule en jupon court
À laquelle on peut faire un doigt... de basse-cour.

CHANTECLER

Mais...

LA FAISANE

Je ne m'éprends pas avec autant de hâte !
Puis, pour moi, comme coq, vous êtes trop... en pâte.

CHANTECLER

En pâte ?

LA FAISANE

Trop gâté. Le seul coq de mon goût
Serait un coq sans gloire à qui je serais tout.

CHANTECLER

Mais…

LA FAISANE

Aimer un grand Coq, – je ne suis pas si femme !

CHANTECLER, *après un petit temps.*

Mais… nous pouvons au moins nous promener,
[Madame !

LA FAISANE

Oui, comme deux amis.

CHANTECLER

Deux amis.

LA FAISANE

Deux poulets.

CHANTECLER

Très vieux.

LA FAISANE, *vivement.*

Oh ! non, pas vieux !… Très laids !

CHANTECLER, *encore plus vivement.*

Oh ! non, pas laids !

Se rapprochant d'elle.

Voulez-vous visiter la cour ?… Prenez mon aile.

LA FAISANE

Voyons !

CHANTECLER,
s'arrêtant devant l'abreuvoir.

  Ça, c'est affreux. C'est l'abreuvoir modèle,
L'abreuvoir siphoïde[55] en fer galvanisé.
Mais tout le reste est beau, noble, charmant, usé
Le toit du poulailler, la porte de l'étable…

LE MERLE, *rentrant, à part.*

La Pintade est dans un état épouvantable !

LA FAISANE, *à Chantecler,*
en regardant autour d'elle.

Vous vivez là tranquille et sans rien craindre ?

CHANTECLER

           Rien.
Car le propriétaire est un végétarien.
C'est un homme étonnant. Il adore les bêtes.
Il leur donne des noms qu'il prend dans les poètes :
Ça, c'est l'âne, Midas[56] ; ça, la génisse, Io[57].

LE MERLE, *les suivant des yeux.*

C'est ce que nous nommons le tour du proprio.

LA FAISANE, *montrant le Merle.*

Et ça ?

CHANTECLER

 L'oiseau d'esprit.

LA FAISANE
  Que fait-il ?

CHANTECLER

       Il s'occupe.

LA FAISANE

À quoi donc ?

CHANTECLER
            À ne pas avoir l'air d'être dupe.
C'est un très gros travail.

LA FAISANE
            Peut-être, mais bien laid.

Ils remontent.

LE MERLE *jetant un coup d'œil*
sur le plastron écarlate de la Faisane.

Eh ! va donc, romantique !… Elle l'a, le gilet [58] !

CHANTECLER,
continuant le tour des choses.

La meule. Le vieux mur. Le mur, lorsque je chante,
En bave des lézards ; la meule est plus penchante.
Je chante à cette place où j'ai gratté le sol,
Et, lorsque j'ai chanté, je bois dans ce vieux bol.

LA FAISANE, *souriant.*

Mais votre chant a donc une importance ?

CHANTECLER, *grave.*

                                      Grande.

LA FAISANE

Pourquoi ?

CHANTECLER
            C'est mon secret.

LA FAISANE
                        Si je vous le demande ?

CHANTECLER, *détournant la conversation*
et montrant un tas de branches
liées dans un coin.

Mes amis les fagots !

LA FAISANE

Volés dans ma forêt !
– C'est donc vrai, ce qu'on dit ? Vous avez un secret ?

CHANTECLER, *sec.*

Oui, Madame.

LA FAISANE

Je sens que l'insistance est vaine.

CHANTECLER,
grimpant sur le mur du fond.

Et, d'ici, vous verrez le reste du domaine
Jusques au potager où l'on traîne le soir
Un serpent qui finit en pomme d'arrosoir.

LA FAISANE

Comment ! c'est tout ?

CHANTECLER

C'est tout.

LA FAISANE

Alors, tu t'imagines
Que le monde a pour borne un carré d'aubergines ?

CHANTECLER

Non.

LA FAISANE

Tu ne rêves pas des horizons plus grands
Quand passe un vol triangulaire d'émigrants ?

CHANTECLER

Non.

LA FAISANE

Mais tous ces objets sont pauvres et moroses !

CHANTECLER

Moi, je n'en reviens pas du luxe de ces choses !

LA FAISANE

Tout est toujours pareil, pourtant !

CHANTECLER

                                  Rien n'est pareil,
Jamais, sous le soleil, à cause du soleil !
Car Elle change tout !

LA FAISANE

Elle !… Qui ?

CHANTECLER

                                  La Lumière !
Mais ce géranium planté par la fermière
N'a pas deux fois le même rouge ! Et ce sabot.
Ce vieux sabot crachant de la paille, est-ce beau !
Et le peigne de bois pendu parmi les blouses
Qui garde entre ses dents les cheveux des pelouses !
La vieille fourche en pénitence dans un coin,
Mais qui, dormant debout, fait des rêves de foin !
Les quilles au corset sanglé, ces belles filles
Dont Patou, mal reçu, dérange les quadrilles !
L'énorme boule en bois, vermoulue à demi,
Sur laquelle toujours voyage une fourmi
Qui fait, avec l'orgueil des parcoureurs de mondes,
Son petit tour de boule en quatre-vingts secondes !
Aucun de ces objets n'est pareil deux instants !
Et quant à moi, Madame, il y a bien longtemps
Qu'un râteau dans un coin, une fleur dans un vase
M'ont fait tomber dans une inguérissable extase,
Et que j'ai contracté devant un liseron
Cet émerveillement dont mon œil reste rond !

LA FAISANE, *songeuse.*
On sent que vous avez une âme !... Mais une âme
Se forme donc loin de la vie et de son drame,
Derrière un mur de ferme où sommeille un matou !

CHANTECLER
Quand on sait regarder et souffrir, on sait tout.
Dans une mort d'insecte on voit tous les désastres.
Un rond d'azur suffit pour voir passer les astres...

LA VIEILLE POULE, *apparaissant.*
Ce qui connaît le mieux le ciel, c'est l'eau du puits !

CHANTECLER, *la présentant à la Faisane*
avant que le couvercle retombe.
Ma nourrice.

LA FAISANE
Ah ! vraiment ?

LA VIEILLE POULE,
clignant un œil malin.
                        C'est un beau coq !

LA FAISANE,
allant vers la Vieille Poule.
                                        Et puis,
C'est un coq pour lequel il existe... autre chose !

CHANTECLER, *allant vers Patou.*
Mon cher, c'est une poule avec laquelle on cause !

> *On entend des cris perçants au-dehors, et*
> *un jacassement qui se rapproche.*

SCÈNE VII

Les Mêmes, La Pintade et Toute la Basse-Cour.

CRIS AU-DEHORS, *se rapprochant.*

Ah !...

LE MERLE, *dans sa cage.*

Nous allons avoir de la Pintade !...

> *Toutes les Poules rentrent en tumulte, pré-*
> *cédées de la Pintade, très agitée.*

LA PINTADE, *courant à la Faisane.*

Ah ! Dieu !
Qu'elle est belle ! On accourt pour vous connaître un peu !

ADMIRATION GÉNÉRALE

Ah !

> *On fait cercle autour de la Faisane.*
> *Conversations. Cris. Gloussements.*

CHANTECLER,
regardant la Faisane, à part.

Qu'elle marche bien !

> *Il regarde les Poules.*

Mieux que mes Poules !

> *Agacé, aux Poules :*

Poules !
Vous marchez comme si vous aviez des ampoules !
Vous marchez comme si vous marchiez sur vos œufs !

PATOU

Allons, décidément, il est très amoureux !

LA PINTADE, *présentant son fils*
à la Faisane.

Le Pintadeau, mon fils !

LE PINTADEAU, *admirant la Faisane.*

Elle est d'un blond !…

UNE POULE, *à mi-voix.*

De beurre !

CHANTECLER, *se retournant,*
sèchement, aux Poules.

Rentrez !

LA FAISANE, *avec un aimable regret.*
Déjà ?

CHANTECLER

Elles se couchent de bonne heure.

Les Poules commencent à remonter par
l'échelle dans le poulailler.

UNE POULE, *un peu vexée.*
Oui, nous rentrons chez nous.

LA FAISANE, *étonnée.*

Tiens ! par un escalier ?

LA PINTADE, *à la Faisane.*
Ma chère, n'est-ce pas, nous allons nous lier ?

CHANTECLER, *regardant la Faisane,*
à part.

Sa toilette de cour la rehausse et l'isolè.
Les autres n'ont plus l'air que d'être en camisole [59].

LA FAISANE, *à la Pintade, s'excusant.*
Je regagne ce soir mes abris forestiers.

LA PINTADE, *désolée.*

Vraiment ?

> *On entend une détonation au loin.*

PATOU

On chasse encore !

LA PINTADE

Il faut que vous restiez.

CHANTECLER, *vivement.*

C'est ça ! Jusqu'à demain gardons-la prisonnière !

LA FAISANE

Mais où passer la nuit ?

PATOU, *montrant sa niche.*

Là, dans ma garçonnière.

LA FAISANE

Moi, dormir sous un toit !

PATOU, *insistant.*

Entrez !

LA FAISANE

Mais vous, alors ?

PATOU

Oh ! Patou, c'est un nom fait pour coucher dehors !

LA FAISANE, *se résignant.*

Restons jusqu'à demain !

LA PINTADE, *avec des cris perçants.*

Dieu !... Mais demain, ma chère

Demain !...

TOUT LE MONDE, *effrayé.*
Quoi donc ?

LE PINTADEAU
Demain, c'est le jour de ma mère !

LA PINTADE, *impétueusement,*
à la Faisane.
Ne voudriez-vous pas, tout à fait sans façon,
Venir prendre chez nous un petit limaçon ?
Le Paon…

CHANTECLER, *qui, grimpant l'échelle,*
inspecte tout de l'œil.
Plus bas ! Le soir a soufflé sa fumée…

D'une voix de commandement.

Chacun a-t-il repris sa place accoutumée ?

LA PINTADE, *plus bas, à la Faisane.*
Le Paon viendra. Nous nous tiendrons dans les cassis !

CHANTECLER
Les Dindons sont-ils sur leur juc [60] ?

LA PINTADE, *même jeu.*
De cinq à six !

CHANTECLER
Les Canards sont-ils tous dans leur maison pointue ?

LA PINTADE, *même jeu.*
Je crois que nous aurons peut-être la Tortue !

LA FAISANE
Ah ! vraiment ?

CHANTECLER, *qui est arrivé*
au dernier échelon.

Tout le monde est-il bien à l'abri ?

LE PINTADEAU, *ironique.*

Mais à chaque échelon vous poussez donc un cri ?

CHANTECLER

Oui, Monsieur. Car il faut…

Il demande encore, en criant :

– Les Poussins sous une aile ? –

Au Pintadeau.

… Faire tout ce qu'on peut sur la plus humble échelle.

LA PINTADE, *insistant toujours*
auprès de la Faisane
pour qu'elle vienne le lendemain.

La Houdan m'a promis le Coq !

À Chantecler.

Nous serions fous…

CHANTECLER

Mais…

LA POULE DE HOUDAN, *sortant sa tête*
du poulailler, avec autorité.

Tu viendras !

CHANTECLER
Non.

LA FAISANE, *au bas de l'échelle,*
le regardant.
Si.

CHANTECLER
Pourquoi ?

LA FAISANE
Parce que vous
Avez dit non à l'autre.

CHANTECLER
Ah ?...

PATOU, *vivement.*
Hom !... Je t'en supplie !

CHANTECLER, *hésitant.*
Je...

PATOU
Hom !... Il plie ! On le fera chanter s'il plie !

LA VIEILLE POULE, *apparaissant.*
C'est avec les roseaux qu'on fait les mirlitons [61] *!*

> *Le couvercle retombe. La nuit vient peu à
> peu.*

CHANTECLER, *hésitant encore.*
Je...

UNE VOIX
Dormons.

LE DINDON, *solennel,*
sur son perchoir.
Quando que dormitat... [62].

LE MERLE, *dans sa cage.*
Dormitons [63] !

CHANTECLER, *très ferme,*
à la Faisane.

Je n'irai pas [64]. Bonsoir.

LA FAISANE, *un peu vexée.*

Bonsoir.

Elle entre dans la niche, d'un saut
brusque. La nuit devient plus bleue.

PATOU, *s'endormant,*
couché devant la niche.

Faisons un somme
Jusqu'à ce que le ciel soit rose comme… comme…
Un ventre de petit chien…

LA PINTADE, *s'endormant.*

Cinq à six…

LE MERLE, *s'endormant aussi.*

Tu… tu…

Sa tête retombe.

Tu…

CHANTECLER, *toujours du haut*
de l'échelle.

Tout dort !

Il aperçoit un poussin qui sort en cachette.

Un poussin qui découche ?

Il s'élance à sa poursuite et le fait rentrer
rapidement.

Veux-tu !

En faisant rentrer le poussin, il se retrouve
devant la niche. Il appelle très doucement :

Faisane ?

> LA FAISANE, *perdue dans la paille,*
> *d'une voix vague.*

Quoi ?

> CHANTECLER, *après une hésitation.*

Rien…

> *Il hésite encore, puis avec un soupir :*

Rien !

> *Et il remonte à regret son échelle.*

> LA FAISANE

Vais-je dormir…

> PATOU, *s'endormant tout à fait.*

Un ventrrre…

> LA FAISANE, *essayant en vain*
> *de parler, prise par le sommeil.*

… Sous un toit ?… J'ai des goûts plus bohé… mi…

> CHANTECLER, *disparaissant*
> *dans le poulailler.*

Je rentre.

> *On l'entend qui dit, d'une voix qui s'éteint :*

C'est l'heure de fermer mes… mes…

> LA FAISANE, *dans un dernier effort.*

… Bohémi-ens…

> *Et sa tête, soulevée un instant, retombe et*
> *disparaît dans la paille.*

LA VOIX DE CHANTECLER,
presque endormie.

… Mes yeux.

> *Silence. Il dort. On voit, sur le mur, s'allumer deux yeux verts.*

LE CHAT

D'ouvrir les miens !

> *Aussitôt, deux autres yeux, jaunes, s'allument dans l'ombre, sur le toit d'une grange.*

UNE VOIX

Les miens !

> *Deux autres yeux jaunes s'allument.*

UNE AUTRE VOIX

Les miens !

> *Deux autres yeux jaunes s'allument.*

UNE AUTRE VOIX

Les miens !

> *On distingue maintenant les silhouettes de trois Chats-Huants.*

SCÈNE VIII

*LA BASSE-COUR endormie, LE CHAT réveillé sur le mur.
Trois CHATS-HUANTS, puis LA TAUPE
et LA VOIX DU COUCOU.*

UN CHAT-HUANT

Deux yeux verts ?…

LE CHAT,
dressé sur le mur, et regardant
les autres yeux phosphorescents.
Six yeux d'or ?…

LE CHAT-HUANT
Sur le mur ?…

LE CHAT
Sur la grange ?

Il appelle.

Hiboux !

LE CHAT-HUANT
Matou !

LE CHAT
Chats !…

LES TROIS CHATS-HUANTS
Chat !…

LE CHAT
… huants !

UN DES CHATS-HUANTS
… miaulant !

LE MERLE, *s'éveillant.*
Qu'entends-je ?

PREMIER CHAT-HUANT, *au Chat.*
Grand complot contre lui !

LE CHAT
Ce soir ?

LES TROIS CHATS-HUANTS
Oui ! oui ! oui !

LE CHAT, *joyeux*.

Pffitt !

Où ?

LES CHATS-HUANTS
Dans les houx ! houx ! houx !

LE CHAT
Quelle heure ?

LES CHATS-HUANTS
Huit ! huit ! huit !

Zigzags de Chauves-souris dans l'air.

PREMIER CHAT-HUANT
Chauves-souris avec lesquelles la nuit jongle !...

LE CHAT
Elles sont pour nous ?

LES TROIS CHATS-HUANTS
Oui.

PREMIER CHAT-HUANT
Taupe dont j'entends l'ongle !...

LE CHAT
Elle est pour nous ?

LES TROIS CHATS-HUANTS
Oui.

LE CHAT, *parlant vers la porte
de la maison.*
Toi sonne bien les huit coups,
Coucou de la petite horloge !

PREMIER CHAT-HUANT

Il est pour nous ?

LE CHAT

Oui. – Et même il y a, noirs veilleurs taciturnes,
Quelques oiseaux du jour qui sont pour les Nocturnes !

LE DINDON, *s'avançant*
au milieu d'un groupe furtif
qui feignait seulement de dormir
dans la basse-cour.

C'est ce soir, chers yeux ronds ? Vous irez ?

LES CHATS-HUANTS

Nous irons !

PREMIER CHAT-HUANT

Il y aura tous les yeux ronds des environs !

LE MERLE, *à part.*

Je voudrais bien voir ça !

PATOU, *tout en dormant.*

Rrrrr…

LE CHAT, *pour rassurer les Nocturnes.*

Le Chien rêve… il gronde !

CHANTECLER, *dans l'intérieur*
du poulailler.

Cô…

LES HIBOUX, *effrayés.*

Lui ! lui ! lui !

LE DINDON

Fuyez !

PREMIER CHAT-HUANT

Mais non : l'ombre est profonde,
Et nous disparaîtrons rien qu'en fermant les yeux !

*Ils ferment leurs yeux lumineux. Nuit
noire. Chantecler paraît au haut de l'échelle.*

CHANTECLER, *au Merle.*
Tu n'as rien entendu, Merle noir ?

LE MERLE

Si, mon vieux !

LES CHATS-HUANTS, *effrayés.*
Hein ?

LE MERLE
Le sombre complot !

CHANTECLER
Ah ?...

LE MERLE, *avec une emphase
mélodramatique.*
Contre toi... Frissonne !

CHANTECLER, *rassuré.*
Blagueur !

Il rentre.

LES CHATS-HUANTS, *rouvrant les yeux.*
Il est rentré !

LE MERLE, *satisfait.*
Je n'ai trahi personne !

UN CHAT-HUANT
Ce Merle est donc pour nous ?...

LE MERLE
Non… mais puis-je aller voir ?

UN CHAT-HUANT
Jamais l'oiseau de nuit ne mange un oiseau noir.
Tu peux venir !

LE MERLE
Le mot de passe ?

LE CHAT-HUANT
Ombre et Rapace !

LA FAISANE, *sortant sa tête de la niche.*
J'étouffe sous le toit de cette maison basse.
Et…

Apercevant les Nocturnes.

Oh !

Elle se rejette vivement en arrière, mais reste aux aguets.

LES CHATS-HUANTS
Chut !

Ils ferment rapidement leurs yeux, puis, n'entendant plus rien, les rouvrent.

Rien… Partons !

UNE VOIX, *dans le groupe resté éveillé.*
Bonne chance, Hiboux !

LE CHAT-HUANT
Merci. Mais pourquoi donc êtes-vous tous pour nous ?

LE CHAT
Ah ! la nuit fait sortir ce qu'on cache à soi-même !
Je n'aime pas le Coq parce que le Chien l'aime.

LE DINDON

Je n'aime pas le Coq, moi, Dindon, *propter hoc*[65]
Que, l'ayant vu poussin, je ne l'admets pas coq !

UN CANARD

Moi, Canard, parce que, comme il n'a pas de toiles
Entre les doigts, il trace en marchant des étoiles !

UN POULET

Je n'aime pas le Coq parce que je suis laid !

UN AUTRE

Je n'aime pas le Coq parce qu'en violet
Il a son portrait peint dans toutes les assiettes !

UN AUTRE

Je n'aime pas le Coq parce qu'aux girouettes
Il a sur tous les toits une statue en toc !

UN CHAT-HUANT, à un gros poulet.

Eh bien, et toi, Chapon ?

LE CHAPON, sèchement.

Je n'aime pas le Coq !

LE COUCOU,
commençant à sonner huit heures
à l'intérieur de la maison.

Coucou !

PREMIER CHAT-HUANT

L'heure !

LE COUCOU

Coucou !

DEUXIÈME CHAT-HUANT

Partons !

LE COUCOU

Coucou !

Un rayon blanc vient baigner tout un côté
de la cour.

PREMIER CHAT-HUANT

La lune !

LE COUCOU

Coucou !

PREMIER CHAT-HUANT,
ouvrant les ailes.

Fendons l'air bleu !...

LE COUCOU

Coucou !

LA TAUPE, *dont la tête*
sort d'un coup de terre.

... La terre brune !...

PREMIER CHAT-HUANT

Tiens ! la taupe !

LE COUCOU

Coucou !

PREMIER CHAT-HUANT, *à la Taupe.*

Toi, pourquoi le hais-tu ?

LA TAUPE

Je le hais parce que je ne l'ai jamais vu !

LE COUCOU

Coucou !

PREMIER CHAT-HUANT

Et toi, Coucou, pourquoi, t'en rends-tu compte ?

LE COUCOU,
en sonnant son dernier coup.

Parce qu'il n'a jamais besoin qu'on le remonte !
– Coucou !

PREMIER CHAT-HUANT
Et nous n'aimons…

DEUXIÈME CHAT-HUANT,
vivement, aux autres.
On doit nous réclamer…

TOUS, *ouvrant leurs ailes.*
… Pas le Coq parce que…

Ils s'envolent. Silence.

LA FAISANE, *sortant lentement de la niche.*
Je commence à l'aimer !

Le rideau tombe.

DEUXIÈME ACTE
LE MATIN DU COQ

LE DÉCOR

Au promontoire d'un coteau.

Bouquet de houx. Jardin qui n'est plus cultivé.
Lieu triste quand, la nuit, l'ortie et l'épervière [1]
Tremblent sur le sentier frayé par la bouvière… [2].
Mais ce qu'on voit de là, quand le jour est levé,

C'est le Vallon. C'est le Vallon par un grand V,
Qui n'est pas en Tyrol, qui n'est pas en Bavière,
Qu'on ne trouve qu'en France avec cette rivière
Et ce je ne sais quoi de noble et d'achevé.

Calme horizon, bornant les vœux, mais pas le songe !
Fins peupliers. Belle colline qui s'allonge
Comme une bête ayant un village au garrot.

Le ciel est de chez nous. Et lorsque illuminée
Fumera dans un coin quelque humble cheminée,
On croira voir fumer la pipe de Corot [3].

SCÈNE PREMIÈRE

LES NOCTURNES[4], *de toutes les dimensions*
et de toutes les espèces,
forment un grand cercle, et s'étagent sur les pierres,
les ronces, les branches ;
LE CHAT est accroupi sur l'herbe ;
LE MERLE sautille sur un fagot.

> *Au lever du rideau, nuit profonde. Tous*
> *les Nocturnes sont immobiles, en silhouettes*
> *sombres, les yeux fermés. Le Grand-Duc,*
> *perché sur un tronc d'arbre, domine. Seul, le*
> *Chat-Huant a ses yeux de phosphore grands*
> *ouverts. Il procède à l'appel, et à chaque nom*
> *qu'il lance on voit s'ouvrir dans le noir deux*
> *grands yeux ronds et lumineux.*

LE CHAT-HUANT, *appelant.*

Strix !

> *Deux yeux s'allument.*

Scops !

> *Deux yeux s'allument.*

Grand-Duc !

> *Deux yeux s'allument.*

Moyen !

Deux yeux s'allument.

Petit !

Deux yeux s'allument.

UN NOCTURNE, *à un autre.*
                                          Le Grand préside.

LE CHAT-HUANT, *continuant.*
Chouette de l'If ! du Mur ! du Cloître ! de l'Abside[5] !

À chaque nom, deux yeux se sont ouverts.

UN NOCTURNE, *à un autre qui arrive.*
C'est l'appel nominal.

L'AUTRE
                                          Oui, je sais. Il n'y a
Qu'à rouvrir l'œil quand on vous nomme.

LE CHAT-HUANT

                                          Surnia !
Hibou ! Nyctale !

Trois paires d'yeux se sont encore ouvertes.

Brachyote !

Aucun œil ne s'ouvrant, il répète :

Brachyote ?

UN NOCTURNE
Il vient. Il est allé manger une linotte.

LE BRACHYOTE, *arrivant.*
Voilà.

LE CHAT-HUANT
Ils sont tous là quand il s'agit du Coq !

TOUS LES NOCTURNES,
d'une seule voix.

Tous !

LE CHAT-HUANT, *appelant.*

Hulotte !

Deux yeux s'ouvrent.

Caparacoch !

*Aucun œil ne s'ouvrant, il répète avec
insistance :*

Ca-pa-ra-coch ?

– Eh bien ! voyons !

LE CAPARACOCH *arrive essoufflé,
ouvre les yeux, et, s'excusant.*

J'habite loin.

LE CHAT-HUANT, *sec.*

On se dépêche !

Regardant autour de lui.

Je crois qu'ils sont tous là…

Il appelle.

Chevêchette ! et Chevêche !

Maintenant, tous les yeux sont ouverts.

LE GRAND-DUC, *solennellement.*

Avant de commencer, poussons, mais à bas bruit,
Le cri qui nous met tous d'accord.

TOUS

Vive la Nuit !

Et c'est un chœur, pressé, mystérieux et
sauvage, coupé de battements d'ailes et de
longs cris dans la nuit, où tous parlent l'un
sur l'autre, avec des dandinements féroces.

LE GRAND-DUC

Vive la Nuit souple et benoîte [6]
Où nous volons d'une aile en ouate,
Où, quand tout dort,
Grâce au mutisme de notre aile
La perdrix n'entend pas sur elle
Venir la mort !

LE CHAT-HUANT

Vive la Nuit commode et molle
Où l'on peut, lorsque l'on immole
Des lapereaux,
Ensanglanter la marjolaine
Sans avoir à prendre la peine
D'être un héros !

UN VIEUX HIBOU

Vivent les ombres qui sont nostres [7] !

LA HULOTTE

Le silence où dans tous nos rostres [8]
Craquent des os !

UNE CHOUETTE

La fraîcheur où, tiède, tu gicles
Sur les verres de nos besicles,
Sang des oiseaux !

UNE AUTRE

Vive le roc d'où la peur suinte !

UNE AUTRE, *poussant son cri.*

Le carrefour où, lorsqu'on chuinte...

LE CHAT-HUANT

Hue…

LA CHEVÊCHE
Et huit…

LA HULOTTE

Hôle et miaule…

UNE CHOUETTE
Stride et stridule…

LE GRAND-DUC

On fait se signer l'incrédule !

TOUS

Vive la nuit !

LE GRAND-DUC

Vive la tendeuse de toiles,
La grande Nuit dont les Étoiles
Sont le seul tort !

LE CHAT-HUANT

Car des regards sont inutiles
Lorsqu'en nos ongles rétractiles
Un col[9] se tord !

LE GRAND-DUC

Vive la Nuit où l'on se venge
De la grâce de la mésange !
Car la Beauté,
Quand l'ombre a repris l'avantage,
Reste à la Nuit comme un otage
Épouvanté !

LA HULOTTE

Car on choisit lorsqu'on trucide !

LE GRAND-DUC

Et l'on prend, d'autant plus lucide
    Qu'il fait plus noir,
Le geai le plus bleu sur la branche
Et la colombe la plus blanche
    Sur le perchoir !

UNE CHOUETTE

Vive l'heure où dans l'œuf qu'on casse
On boit l'avenir qu'une race
    Crut immortel !

LE CHAT-HUANT

L'heure où nous chuchotons ensemble
Pour préparer tout ce qui semble
    Accidentel !

LE GRAND-DUC

Vive l'ombre où la peur accrue
Nous fait régner !

LE CHAT-HUANT

Où, quand on hue…

LA CHEVÊCHE

Et qu'on huit…

TOUTES LES CHOUETTES

Lorsqu'on ulule…

TOUS LES HIBOUX

Et qu'on houloule…

LE GRAND-DUC

L'aigle même a la chair de poule !

TOUS

Vive la nuit !

LE GRAND-DUC

Et maintenant, laissons, dans sa rousseur moirée,
Parler le Chat-Huant.

PLUSIEURS VOIX
Chut !...

LE MERLE, *sur son fagot.*
Charmante soirée !

LE CHAT-HUANT, *oratoire.*

Nocturnes !...

LE GRAND-DUC, *à son voisin.*
Le décor me semble bien choisi.
Oui, le coin le plus noir, l'arbre le plus moisi ;
À droite, des vieux pots de jardin hors d'usage ;
À gauche, entre les houx...

TOUS LES NOCTURNES
Houx ! houx !

LE GRAND-DUC
... Le paysage !

LE CHAT-HUANT

Nocturnes !

UN HIBOU
Tiens ! la Taupe est là ?

PLUSIEURS VOIX
Chut !...

UN AUTRE HIBOU
Sous le thym
Elle a pris pour venir...

LE MERLE, *sautillant.*
Son Métropolitain.

LE GRAND-DUC, *à son voisin.*
C'est le Merle ?

LE MERLE, *s'avançant.*
             Oui, mon Duc. – Et là, ces deux agates,
C'est le Chat.

LE GRAND-DUC
Je l'entends qui se lèche les pattes.

LE CHAT-HUANT, *reprenant la parole.*
Nocturnes ! puisqu'ici, ce soir, – c'est notre orgueil ! –
Nous sommes entre gens ayant le mauvais œil…

TOUS LES NOCTURNES, *ricanant
et se dandinant à leur manière.*
Ha ! ha !

LE GRAND-DUC,
ouvrant ses ailes pour imposer silence.
       Chut !

                 Ils reprennent tous leur immobilité terrible.

LE MERLE
          Moi, je n'ai que l'œil malin. J'assiste,
Mais sans prendre parti, vous savez, en artiste.

UN HIBOU
Ne pas prendre parti, c'est le prendre pour nous.

LE MERLE
Et allez donc ! c'est très simpliste, les hiboux !

LE CHAT-HUANT, *terminant sa phrase.*
Exprimons-nous d'un bec franchement malévole [10] :
Le Coq est un voleur !

TOUS
Un voleur ! – Il nous vole !

LE MERLE

Quoi ?

LE GRAND-DUC
La santé ! La joie !

LE MERLE
Ah ! vous m'en direz tant !

Et comment ?

LE CHAT-HUANT
En chantant !

LE GRAND-DUC
Il nous donne, en chantant,
Des gonflements de fiel [11] et des péricardites [12] !
Car il annonce !

LE MERLE, *sautillant.*
Ah ! oui, la lumière…

Mouvement de tous.

*Le Merle, effrayé, se cache derrière les
fagots.*

LE GRAND-DUC, *vivement.*
Ne dites
Pas ce mot ! Quand on dit ce mot, à l'horizon
La Nuit sent sous son aile une démangeaison !

LE MERLE, *rectifiant prudemment.*
La clarté…

Mouvement. Même jeu du Merle.

LA HULOTTE, *précipitamment.*
Pas ce mot de consonance ingrate,
Ce mot qui fait un bruit d'allumette qu'on gratte !

Le Chat-Huant

Dites : « Le Coq annonce… un pli du sombre drap… »

Le Merle

Mais le jour…

Mouvement.

Tous, *criant*
avec une souffrance indicible.
Pas ce mot !

Le Grand-Duc
Dites : « Ce qui viendra » !

Le Merle

Qu'importe qu'il annonce…

Tous, *l'arrêtant.*
Heu !…

Le Merle

… Que le drap se plisse,
Puisque… ce qui viendra… viendra !

Le Grand-Duc, *avec désespoir.*
C'est un supplice
Que d'entendre toujours…

Le Merle, *vivement.*
Tout nuit !…

Le Grand-Duc

… Un chant cuivré
Vous rappeler ce qu'on sait être vrai…

Tous les Hiboux, *contorsionnés*
de douleur.
Vrai ! – Vrai !

LE GRAND-DUC
Il chante quand la nuit est encor bonne et fraîche !

CRIS DE TOUS LES CÔTÉS
C'est un voleur ! – C'est un voleur !

LE GRAND-DUC
                                            Il nous empêche
De profiter…

TOUS LES HIBOUX
                    De profiter ! – De profiter !

LE GRAND-DUC
… Du bon morceau de nuit qui reste !

LE PETIT-DUC
                                            Il fait quitter
L'affût près des clapiers !

LE CHAT-HUANT
                            Les fêtes carnassières !

LA HULOTTE
Les sabbats où l'on va sur le poing des sorcières !

LE GRAND-DUC
Quand il chante, on n'est plus dans son état normal !

LE CHAT-HUANT
On fait le mal en se pressant !

LE GRAND-DUC
                                    On le fait mal !

UN HIBOU
Quand il chante, on n'est plus que dans du provisoire !

UNE CHOUETTE
Dans de la nuit qu'on sait qui deviendra moins noire !

LE CHAT-HUANT

Quand son chant de métal a partagé la nuit,
On se tord comme un ver dans la moitié d'un fruit !

LE MERLE, *qui n'y comprend rien,*
sur son fagot.

Pourtant, les autres coqs…

LE GRAND-DUC

Leur chant n'est pas à craindre !
C'est le sien qu'il faudrait éteindre !

TOUS LES NOCTURNES,
agitant leurs ailes,
dans une longue plainte.

Éteindre ! – Éteindre !

UN HIBOU

Comment faire ?

LE CHAT-HUANT

Ce Merle a pour nous travaillé…

LE MERLE

Moi ?

LE CHAT-HUANT

Oui, tu l'as raillé.

TOUS, *avec leur ricanement*
et leur dandinement.

Ha ! ha !

LE GRAND-DUC, *étendant les ailes.*

Chut !

Ils reprennent leur immobilité sinistre.

LE CHAT-HUANT

Mais, raillé,

Son chant n'agit pas moins sur notre vésicule.
Il est plus fort depuis qu'on le croit ridicule !

TOUS

Comment faire ?

LE CHAT-HUANT
Le Paon, ce grand dadais…

TOUS, *ricanant et se dandinant.*

Ha ! ha !

LE GRAND-DUC, *ouvrant ses ailes.*

Chut !

Immobilité.

LE CHAT-HUANT
… Travaillant aussi pour nous, le démoda.
Mais, démodé, son chant n'est pas moins incommode :
Il est plus pur depuis qu'il n'est plus à la mode !

TOUS

Comment faire ?

UNE CHOUETTE
Égorger ce Coq !

CRIS

Oui, mort au Coq !

UN HIBOU
Mort à cet aristo qui fait le démoc-soc !

UN AUTRE
Il a des éperons, mais porte un bonnet rouge !

LE GRAND-DUC
Tous les oiseaux de nuit, debout !

Tous grandissent, dressés, les ailes ouvertes,
les yeux arrondis : il semble que la nuit
augmente.

LE MERLE, *inconscient et bouffonnant.*

Le Minuit bouge !

LE CHAT-HUANT

L'égorger ? Mais nos yeux n'y voient plus quand il sort !

TOUS, *dans un gémissement*
de chœur antique.

Las !

UN HIBOU, *cauteleusement* [13].

Comment égorger... de loin ?

LE GRAND-DUC

Par quel ressort ?...

UNE VOIX, *sur une branche.*

Duc ! développerai-je un plan ?

LE GRAND-DUC

Scops ! développe.

TOUS, *en voyant tomber de la branche*
un petit hibou qui s'avance
par menus bonds.

Le Scops ! le petit Scops !

LE SCOPS, *s'inclinant*
devant le Grand-Duc,

Tu sais, ô Nyctalope !
Qu'en de tièdes jardins, là-bas, sur la hauteur,
Un éleveur d'oiseaux, qu'on nomme... aviculteur,
Nourrit, pour des concours qu'on appelle... agricoles,
Les plus splendides coqs des races les plus folles.
Or, le grand découvreur d'oiseaux rares, le Paon,
– Lequel, n'ayant qu'un cri qui perce le tympan,

Ne peut souffrir un chant qui perce la ténèbre, –
Le Paon, dont le système est de rendre célèbre
Tout animal étrange…

> LE GRAND-DUC, *à son voisin.*
>> Et surtout étranger !

> LE SCOPS

… Rêve de présenter, demain, au potager,
Ces coqs chez la…

> TOUS, *ensemble, riant.*
>> Pintade !

> LE SCOPS

>>>> … Et de lancer chez elle
Tous ces oiseaux dont la gloire sera pour celle
De Chantecler le dernier coup…

> LE MERLE, *sautillant.*
>>> D'aplatissoir.

> LE CHAT-HUANT

Mais ces coqs sont toujours enfermés !…

> LE SCOPS

>>>>> Donc, ce soir,
Lorsqu'ouvrant leur volière une fille à la ronde
Leur lançait le maïs comme une grêle blonde,
Je surgis, près du tronc velu d'un chamérops [14],
Et la fille…

> UN HIBOU, *à son voisin.*
>> Il est très malin, ce petit Scops !…

> LE SCOPS

… En voyant cet oiseau de déplorable augure…

> TOUS, *ricanant et se dandinant.*

Ha ! ha !

LE GRAND-DUC, *ouvrant ses ailes.*
Chut !

Immobilité.

LE SCOPS
… Prit la fuite, un bras sur sa figure !
La cage reste ouverte, et toute la smala
Rencontrera demain le Chantecler chez la…

TOUS, *achevant dans un ricanement.*
Pintade !

LE MERLE
Il n'ira pas. Il a refusé.

LE SCOPS
Bigre !

LE CHAT, *flegmatique.*
Continue : il ira.

LE MERLE, *le regardant de loin.*
Qu'en sais-tu, petit tigre ?

LE CHAT
J'ai vu qu'une Faisane excitait ses transports,
Et j'ai vu qu'il irait.

LE MERLE
Tu vois tout quand tu dors !

LE GRAND-DUC, *au Scops.*
Soit ! il y va, j'admets !

LE SCOPS
Chantecler, quoique illustre,
A gardé sa franchise implacable de rustre.
Quand il verra ce…

LE MERLE, *lui soufflant le mot.*
Five o'clock !

LE SCOPS
Et les états
Où se mettront les…

LE MERLE, *même jeu.*
Snobs !

LE SCOPS
… Devant tous les…

LE MERLE, *même jeu.*
Rastas [15] !

LE SCOPS
… Il tiendra des propos qu'il faudra qu'on relève.

LE GRAND-DUC, *tressaillant.*
Et tu crois qu'un combat de coqs ?…

LE SCOPS
Duc, c'est mon rêve !

LE CHAT
Mais, Scops, si c'était lui, le vainqueur ?

LE SCOPS
Angora !
Sache qu'entre ces coqs de luxe, il y aura
Un vrai coq de combat, maigre, à l'aile orangée,
Celui…

LE MERLE, *voyant tous les plumages*
se gonfler de joie.
Sensation profonde et prolongée !

LE SCOPS
… Qui creva l'œil aux plus célèbres champions,

Le Pile Blanc ! Et comme, à ses deux arpions [16],
Ce vainqueur des combats de Flandre et d'Angleterre
Porte, pour égorger ses ennemis à terre,
Deux rasoirs attachés par l'homme ingénieux,
Demain soir Chantecler sera mort, et sans yeux !

LE CHAT-HUANT, *enthousiaste.*
Nous irons regarder son cadavre !

LE GRAND-DUC, *dressé, formidable.*
                                        Et sa crête,
Qui semblait sur son front de l'aurore concrète,
Nous la prendrons, joyeux d'avoir atteint le but,
Et nous la mangerons !

TOUS,
*avec un hurlement qui se termine
en leur ricanement dandinant et féroce.*
Man-ge-rons ! – Ha ! ha !

LE GRAND-DUC, *ouvrant ses ailes.*
                                        Chut !

Immobilité.

LE SCOPS
Puis...

LE MERLE, *sautillant.*
C'est déjà coquet !

LE SCOPS
Quoi ?

LE MERLE
                        Ce que tu proposes.
Mon Dieu ! si je prenais au tragique les choses,
J'irais tout dire au Coq... Mais je n'en ferai rien,

Il conclut en quatre petits sauts :

– Car je sais – que, tout ça, – ça finira – très bien.

LE SCOPS, *ironiquement.*

Très bien !

Il reprend, de plus en plus excité :

Puis, si les coqs de races singulières
N'ont pas réintégré demain soir leurs volières,
Nous mangerons tout ça, qui de plus rien ne sert !

LE GRAND-DUC, *à l'oreille de son voisin.*
Et puis, nous mangerons le Merle pour dessert !

LE MERLE, *qui n'a pas entendu.*

Que dit-il ?

LE SCOPS, *vivement.*

Rien !

Il reprend, avec une frénésie croissante :

Et puis...

ON ENTEND AU LOIN
Cocorico !

*Brusque silence. Le Scops s'arrête et se
courbe, comme fauché. Tous les Hiboux gonflés semblent soudain maigrir.*

TOUS, *se regardant entre eux
en clignotant.*

Quoi ? Qu'est-ce ?

*Et, tout de suite, ils ouvrent leurs ailes et
se mettent à s'appeler pour fuir.*

Grand-Duc ! – Moyen ! – Petit !

LE MERLE, *sautillant de l'un à l'autre.*

Vous partez ? Rien ne presse !

VOIX D'UN NOCTURNE
en appelant un autre.

Hibou !...

LE MERLE
L'aurore est loin, vous avez tout le temps !

LE CHAT-HUANT
Non ! dès qu'il a chanté nos yeux sont clignotants !

UNE CHOUETTE
Surnia, venez-vous ?

UNE AUTRE, *appelant.*
Nyctale !

UNE AUTRE, *qui la rejoint*
en voletant.
Oui, mon amie…

Tous titubent, s'empêtrent dans leurs ailes.

LE MERLE, *stupéfait.*

Ils trébuchent !

LES NOCTURNES, *clignotant des yeux,*
avec de petits soubresauts de douleur.
Je souffre !… Ay !… ay !…

LE MERLE
C'est l'ophtalmie [17] !

Les Hiboux s'envolent un à un.

LE GRAND-DUC, *resté le dernier,*
et tournant sur lui-même,
avec un cri de douleur et de rage.

Mais comment fait-il donc, ce Coq pernicieux,
Pour avoir une voix qui vous fait mal aux yeux ?

Il s'envole lourdement.

VOIX DE NOCTURNES,
s'appelant au loin.

Strix !

LE MERLE, *les suivant des yeux*
dans les branches,
puis sur le gouffre bleu de la vallée.

Ils s'appellent !

VOIX AU LOIN
Scops !

LE MERLE, *penché sur le vallon,*
où les ailes noires passent et diminuent.

Leur vol tourne, – Frissonne, –

Plonge…

VOIX QUI APPELLENT
ET MEURENT AU LOIN
Chouette du Mur !… de l'If !… Du !…

LE MERLE

Plus personne !

Il regarde autour de lui, sautille et bouf-
fonnant immédiatement :

Mais c'est l'heure où l'on soupe… À nous le grillon
[froid !

À ce moment, la Faisane sort d'un bond
des broussailles et tombe devant lui.

Vous !…

SCÈNE II

Le Merle, La Faisane, puis Chantecler.

LA FAISANE, *haletante, tragique.*
J'ai couru… Vous étiez là… Je meurs d'effroi !…
Eh bien ! vous avez dû surprendre leur mystère,
Vous, son ami ?…

LE MERLE, *fourrageant
gaiement la mousse.*
À nous le cuissot d'orthoptère [18] !

LA FAISANE
Moi, je guettais… de loin… J'étais dans un fossé…

D'une voix angoissée.

Eh bien ?

LE MERLE, *avec un sincère étonnement.*
Quoi ?

LA FAISANE
Ce complot ?

LE MERLE, *calme.*
Ça s'est très bien passé.

LA FAISANE, *stupéfaite.*
Hein ?

LE MERLE
L'ombre était du bleu qu'affectent les lessives,
Et des hiboux disaient des choses excessives.

LA FAISANE, *bondissant.*
Ciel ! ils ont comploté sa mort !

LE MERLE
                              Non, son trépas [19] !
C'est bien moins dangereux !

LA FAISANE
                    Mais…

LE MERLE
                              Ne vous frappez pas !
Bien que le Chat-Huant ait la voix d'un burgrave [20],
Il se pourrait que tout ceci ne fût pas grave.

LA FAISANE
Ces hiboux ?…

LE MERLE
          La font bien… mais vieux jeu !

LA FAISANE
                                        Quoi ?

LE MERLE
                                        Jeu vieux !

LA FAISANE
Ah ?…

LE MERLE, *avec une douce pitié.*
          Ils ont des sourcils qui font le tour des yeux…
C'est trop ! Et ce complet-complot, couleur muraille !

LA FAISANE, *qui va et vient, fiévreuse.*
Je ne comprends jamais tout à fait quand on raille.

LE MERLE, *clignant de l'œil.*
La Bohémienne, oui… vous la faites bien… je sai… [21].

LA FAISANE
Mais vous ne ririez pas s'il était menacé !
Ces bandits ?…

LE MERLE

Des bavards ! En platine [22], leur sabre !
Et ce ne sont que des Brigands de la Palabre [23] !

LA FAISANE

Mais la Hulotte ?…

LE MERLE

Elle était chouette !

LA FAISANE

Et le Grand-Duc ?…

LE MERLE

Il a deux phares qu'il rallume avec un truc :
Cric ! crac !… Et quant à la Chevêche… hou ! la vilaine !
Elle en a deux aussi, mais à l'acétylène !

LA FAISANE, *perdue dans ce genre d'esprit.*
Alors ?…

LE MERLE

Non, Zingara [24] ! J'affirme, en concluant,
Qu'il n'y a pas de quoi fouetter un chat-huant !

LA FAISANE

Vraiment ? J'avais si peur !

LE MERLE

Frémissante Gypsie [25],
Voir des dangers partout, mais c'est la dyspepsie [26] !
C'est parce que son œil sous l'aile se ferma
Que l'autruche a gardé son célèbre estomac [27] !
– Tout s'arrange !

LA FAISANE, *se laissant prendre*
à la commodité de cet optimisme.
Ah ?…

LE MERLE

Le jour d'aujourd'hui congédie,
Respectueusement, d'ailleurs, la Tragédie !

LA FAISANE

Mais si nous prévenions Chantecler pour qu'il fût ?…

LE MERLE

Il irait provoquer ! ça ferait un raffut !…

LA FAISANE, *vivement.*

Oui, c'est juste !

LE MERLE

Quand on prévient, folle Gitane,
On fait un monde avec un pompon de platane !

LA FAISANE

Vous avez du bon sens !…

LE MERLE

Oui, Fille des Forêts !

VOIX DE CHANTECLER, *au-dehors.*

Cô…

LA FAISANE, *tressaillant.*

Lui !

CHANTECLER, *apparaissant à gauche,*
entre les houx, crie de loin.

Qui va là ?

LA FAISANE

Moi !

CHANTECLER, *toujours de loin.*

Seule ?

LA FAISANE, *regardant le Merle.*

Oui !

LE MERLE, *comprenant.*

Je disparais !

Je vais souper…

LA FAISANE, *bas,*
au Merle.

Alors ?…

LE MERLE, *lui faisant signe*
de ne pas parler.

Chut !…

Il va pour sortir à droite, en commandant :

Gazon, un cloporte !

LA FAISANE, *même jeu.*

Il faut tout lui cacher ?

LE MERLE, *avant de disparaître*
entre les pots de fleurs.

Disons plus : il opporte[28] !

SCÈNE III

LA FAISANE, CHANTECLER.

CHANTECLER, *qui est descendu*
vers la Faisane.

Debout ?

LA FAISANE

Pour voir l'aurore.

CHANTECLER, *tressaillant*.
Ah ?…

LA FAISANE

Je suis, mon ami,

Très vertueuse !

CHANTECLER, *soupirant*.
Oui.

LA FAISANE, *un peu malicieuse*.
Qu'avez-vous ?

CHANTECLER

J'ai mal dormi.

LA FAISANE

Ah ?…

Un temps.

CHANTECLER
Vous irez chez la Pintade ?

LA FAISANE

Je ne reste

Aujourd'hui que pour elle.

CHANTECLER
Ah ! oui…

Un temps.

Je la déteste.

LA FAISANE

Venez chez elle.

CHANTECLER
Non.

LA FAISANE
Soit ! disons-nous adieu.

CHANTECLER
Non.

LA FAISANE
Alors, venez-y, vous m'y verrez un peu.

CHANTECLER
Non.

LA FAISANE
Vous ne viendrez pas ?

CHANTECLER
J'irai. Mais ça me fâche.

LA FAISANE
Pourquoi ?

CHANTECLER
C'est lâche !

LA FAISANE
Oh ! non, ça, ça n'est pas très lâche !

CHANTECLER
Ah ?...

LA FAISANE, *se rapprochant
doucement de lui.*
Ce qui le serait...

CHANTECLER, *la voyant venir avec effroi.*
Qu'est-ce qui le serait ?

LA FAISANE
Ce serait de me dire un peu votre secret [29].

CHANTECLER, *frémissant.*

Le secret de mon chant ?

LA FAISANE

Oui !

CHANTECLER

Faisane dorée !

Mon secret ?

LA FAISANE, *câline.*

Quelquefois, quand je suis à l'orée
Du bois, je vous entends dans les premiers rayons.

CHANTECLER, *flatté.*

Ah ?… mon chant est venu jusqu'à vos oreillons !

LA FAISANE

Oui !

CHANTECLER, *s'écartant violemment.*

Mon secret ! Jamais !

LA FAISANE

Vous n'êtes pas affable.

CHANTECLER

Non ! je souffre !

LA FAISANE, *récitant avec langueur.*

Le Coq et la Faisane : fable.

CHANTECLER, *à mi-voix.*

Un Coq aimait une Faisane…

LA FAISANE

Et ne voulait

Rien lui dire…

CHANTECLER
Moralité…

LA FAISANE
C'était très laid !

CHANTECLER, *tout contre elle.*
Moralité : ta robe a des frissons de soie !

LA FAISANE
Moralité : je ne veux pas qu'on me tutoie !

Se dégageant.

Va retrouver ta poule à l'humble caraco !

CHANTECLER, *piétinant.*
Ah ! je suis furieux !

LA FAISANE
Mais non ! Faites : Cô !…

Ils sont bec à bec.

CHANTECLER, *avec fureur.*
Cô !

LA FAISANE
Oh ! non ! mieux que ça !

CHANTECLER,
dans un long roucoulement tendre.
Cô…

LA FAISANE
Regardez-moi sans rire !
Votre secret…

CHANTECLER
Quoi ?…

LA FAISANE
Vous brûlez de me le dire !

CHANTECLER
Oui, je sens que je vais le dire, et que j'ai tort !
Tout ça, parce qu'elle a sur la tête de l'or !

Il marche brusquement sur elle.

Seras-tu digne, au moins, d'avoir été choisie ?
Jusqu'au fond ta poitrine est-elle cramoisie [30] ?

LA FAISANE
Parle !

CHANTECLER
Regarde-moi, Faisane, et s'il se peut,
Tâche de découvrir toi-même, peu à peu,
Cette vocation dont ma forme est le signe.
Reconnais tout d'abord mon destin à ma ligne,
Et que, cambré comme une trompe, m'incurvant
Comme une espèce de cor de chasse vivant,
Je suis fait pour qu'en moi le son tourne et se creuse
Autant que pour nager fut faite la macreuse [31] !
Attends !… Constate encor qu'impatient et fier
En grattant le gazon de mes griffes, j'ai l'air
De chercher dans le sol, tout le temps, quelque chose…

LA FAISANE
Eh bien ! mais vous cherchez des graines, je suppose ?

CHANTECLER
Non ! ce n'est pas cela que jamais j'ai cherché.
J'en trouve, quelquefois, par-dessus le marché,
Mais, dédaigneusement, je les donne à mes poules !

LA FAISANE
Alors, griffant toujours la terre que tu foules,
Que cherches-tu ?

CHANTECLER

L'endroit où je vais me planter
Car toujours je me plante au moment de chanter.
Observe-le !

LA FAISANE

C'est juste, et puis tu t'ébouriffes.

CHANTECLER

Je ne chante jamais que lorsque mes huit griffes
Ont trouvé, sarclant l'herbe et chassant les cailloux,
La place où je parviens jusqu'au tuf[32] noir et doux !
Alors, mis en contact avec la bonne terre,
Je chante !… et c'est déjà la moitié du mystère,
Faisane, la moitié du secret de mon chant…
Qui n'est pas de ces chants qu'on chante en les cherchant,
Mais qu'on reçoit du sol natal, comme une sève !
Et l'heure où cette sève, en moi, surtout, s'élève,
L'heure où j'ai du génie, enfin, où j'en suis sûr,
C'est l'heure où l'aube hésite au bord du ciel obscur.
Alors, plein d'un frisson de feuilles et de tiges
Qui se prolonge jusqu'au bout de mes rémiges[33],
Je me sens nécessaire, et j'accentue encor
Ma cambrure de trompe et ma courbe de cor ;
La Terre parle en moi comme dans une conque[34] ;
Et je deviens, cessant d'être un oiseau quelconque,
Le porte-voix en quelque sorte officiel
Par quoi le cri du sol s'échappe vers le ciel !

LA FAISANE

Chantecler !

CHANTECLER

Et ce cri qui monte de la Terre,
Ce cri, c'est un tel cri d'amour pour la lumière,
C'est un si furieux et grondant cri d'amour
Pour cette chose d'or qui s'appelle le Jour,
Et que tout veut ravoir : le pin sur ses écorces,
Les sentiers soulevés par des racines torses
Sur leurs mousses, l'avoine en ses brins délicats

Et les moindres cailloux dans leurs moindres micas ;
C'est tellement le cri de tout ce qui regrette
Sa couleur, son reflet, sa flamme, son aigrette
Ou sa perle ; le cri suppliant par lequel
Le pré mouillé demande un petit arc-en-ciel
À chaque pointe verte, et la forêt mendie
Au bout de chaque allée obscure un incendie ;
Ce cri, qui vers l'azur monte en me traversant,
C'est tellement le cri de tout ce qui se sent
Comme mis en disgrâce au fond d'un vague abîme
Et puni de soleil sans savoir pour quel crime ;
Le cri de froid, le cri de peur, le cri d'ennui
De tout ce que désarme ou désœuvre la Nuit ;
De la rose tremblant, dans le noir, toute seule ;
Du foin qui veut sécher pour aller dans la meule ;
Des outils oubliés dehors par les faucheurs
Et qui vont se rouiller dans l'herbe ; des blancheurs
Qui sont lasses de ne pas être éblouissantes ;
C'est tellement le cri des Bêtes innocentes
Qui n'ont pas à cacher les choses qu'elles font,
Et du ruisseau qui veut être vu jusqu'au fond ;
Et même – car ton œuvre, ô Nuit !, te désavoue –
De la flaque qui veut miroiter, de la boue
Qui veut redevenir de la terre en séchant ;
C'est tellement le cri magnifique du champ
Qui veut sentir pousser son orge ou ses épeautres[35] ;
De l'arbre ayant des fleurs qui veut en avoir d'autres ;
Du raisin vert qui veut avoir un côté brun ;
Du pont tremblant qui veut sentir passer quelqu'un
Et remuer encor doucement sur ses planches
Les ombres des oiseaux dans les ombres des branches ;
De tout ce qui voudrait chanter, quitter le deuil,
Revivre, resservir, être une berge, un seuil,
Un banc tiède, une pierre heureuse d'être chaude
Pour la main qui s'appuie ou la fourmi qui rôde ;
Enfin, c'est tellement le cri vers la clarté
De toute la Beauté, de toute la Santé,
Et de tout ce qui veut, au soleil, dans la joie,
Faire son œuvre en la voyant, pour qu'on la voie ;
Et, lorsque monte en moi ce vaste appel au jour,

J'agrandis tellement toute mon âme pour
Qu'étant plus spacieuse elle soit plus sonore
Et que le large cri s'y élargisse encore ;
Avant de le jeter, c'est si pieusement
Que je retiens ce cri dans mon âme, un moment ;
Puis, quand, pour l'en chasser enfin, je la contracte,
Je suis si convaincu que j'accomplis un acte ;
J'ai tellement la foi que mon cocorico
Fera crouler la Nuit comme une Jéricho… [36].

LA FAISANE, *épouvantée.*

Chantecler !

CHANTECLER

    Et sonnant d'avance sa victoire,
Mon chant jaillit si net, si fier, si péremptoire,
Que l'horizon, saisi d'un rose tremblement,
M'obéit !

LA FAISANE

    Chantecler !

CHANTECLER

    Je chante ! Vainement
La Nuit, pour transiger, m'offre le crépuscule ;
Je chante ! Et tout à coup…

LA FAISANE

    Chantecler !

CHANTECLER

    Je recule,
Ébloui de me voir moi-même tout vermeil,
Et d'avoir, moi, le Coq, fait lever le soleil !

LA FAISANE

Alors, tout le secret de ton chant ?…

CHANTECLER

    C'est que j'ose

Avoir peur que sans moi l'Orient se repose !
Je ne fais pas : « Cocorico ! » pour que l'écho
Répète un peu moins fort, au loin : « Cocorico ! »
Je pense à la lumière et non pas à la gloire.
Chanter, c'est ma façon de me battre et de croire ;
Et si de tous les chants mon chant est le plus fier,
C'est que je chante clair afin qu'il fasse clair !

LA FAISANE

Mais il tient des propos qui sont fous ! – Tu fais naître ?...

CHANTECLER

Ce qui rouvre la fleur, l'œil, l'âme et la fenêtre !
Parfaitement ! Ma voix dispense la clarté.
Et quand le ciel est gris, c'est que j'ai mal chanté !

LA FAISANE

Mais lorsque vous chantez en plein jour ?

CHANTECLER

                                                      Je m'exerce.
Ou bien, je jure au soc[37], à la bêche, à la herse,
À la faux, de remplir mon devoir d'éveiller.

LA FAISANE

Mais qui t'éveille, toi ?

CHANTECLER

                         La peur de l'oublier !

LA FAISANE

Et crois-tu qu'à ta voix le monde entier s'inonde ?...

CHANTECLER, *simplement.*

Je ne sais pas très bien ce que c'est que le monde :
Mais je chante pour mon vallon, en souhaitant
Que dans chaque vallon un coq en fasse autant.

LA FAISANE

Pourtant...

CHANTECLER, *remontant.*

Mais je suis là, j'explique, je pérore [38],
Et je ne pense plus à faire mon aurore !

LA FAISANE

Son aurore ?

CHANTECLER

Ah ! je tiens des propos qui sont fous ?
Je vais faire lever l'Aurore devant vous !
Et je sens qu'aux moyens dont mon âme dispose
Le désir de vous plaire ajoutant quelque chose
Qui me fera chanter comme sur des sommets,
Elle va se lever plus belle que jamais !

LA FAISANE

Plus belle ?

CHANTECLER

Assurément ! et de tout ce qu'ajoute
De force à la chanson de savoir qu'on l'écoute,
D'allégresse à l'exploit d'être fait sous des yeux !

*Et se plantant sur le tertre qui domine la
vallée, au fond :*

Madame !...

LA FAISANE, *le regardant
se découper sur le ciel.*

Qu'il est beau !

CHANTECLER

Regardez bien les cieux !
Ils ont déjà pâli ! C'est que j'ai, tout à l'heure,
Mis, par mon premier chant, le soleil en demeure
D'avoir à se tenir derrière l'horizon !

LA FAISANE

Il est tellement beau qu'il semble avoir raison !

CHANTECLER, *parlant vers l'horizon.*

Ah ! Soleil ! je te sens là derrière, qui bouges !
Je ris déjà d'orgueil dans mes barbillons[39] rouges !

> *Et, dressé sur ses ergots, tout à coup, d'une voix éclatante :*

Cocorico !

LA FAISANE

Quel souffle a gonflé son camail[40] ?

CHANTECLER, *vers l'Orient.*

Obéis-moi ! Je suis la Terre et le Travail !
Ma crête a le dessin couché d'un feu de forge,
Et je sens le sillon qui me monte à la gorge !

> *Il chuchote mystérieusement.*

Oui, oui, Mois de Juillet...

LA FAISANE

À qui donc parle-t-il ?

CHANTECLER

Je vais te le donner plus tôt qu'au Mois d'Avril !

> *Se penchant à droite et à gauche, comme pour rassurer.*

Oui, la Broussaille ! Oui, la Fougère !...

LA FAISANE

Il est superbe !

CHANTECLER, *à la Faisane.*

Ah ! c'est que tout le temps je dois penser...

> *Il caresse le sol de son aile.*

Oui, l'Herbe !

À la Faisane.

… À tous ces humbles vœux dont je deviens la voix !

Parlant encore à des êtres invisibles.

L'échelle d'or ?… Oui… pour danser tous à la fois…

LA FAISANE

À qui promettez-vous une échelle ?

CHANTECLER

Aux Atomes !
– Cocorico !

LA FAISANE, *qui guette le ciel*
et le paysage.

Un frisson bleu court sur les chaumes.
Une étoile s'éteint.

CHANTECLER

Non ! elle se voila !
Même quand il fait jour les étoiles sont là.

LA FAISANE

Tu ne les éteins pas ?

CHANTECLER, *fièrement.*

Je ne sais pas éteindre !
– Mais tu vas voir comment j'allume !

LA FAISANE

Oh ! je vois poindre…

CHANTECLER

Quoi ?

LA FAISANE

Le bleu n'est plus bleu !

CHANTECLER
Mais il est vert déjà !

LA FAISANE
Le vert s'est orangé !

CHANTECLER
Ce vert qui s'orangea,
C'est toi qui ce matin, l'auras vu la première.

La plaine, au loin, se veloute de pourpre.

LA FAISANE
Tout a l'air de finir par des champs de bruyère !

CHANTECLER, *dont le cri*
commence à se fatiguer.

Cocor…

LA FAISANE
Oh ! dans les pins, du jaune !

CHANTECLER
Il faut de l'or !

LA FAISANE
Du gris !

CHANTECLER
Il faut du blanc ! Ça n'y est pas encor !
– Cocorico ! – C'est très mauvais ! mais je m'obstine !

LA FAISANE
Chaque trou dans chaque arbre a l'air d'une églantine !

CHANTECLER,
avec un enthousiasme croissant.

Je veux, puisqu'à ma foi vient s'ajouter l'amour,
Que le jour, aujourd'hui, soit plus beau que le jour !
Tiens ! vois-tu qu'à ma voix l'Orient se pommelle ?

LA FAISANE, *entraînée par la folie du Coq.*
C'est possible, après tout, puisque l'amour s'en mêle !

CHANTECLER, *d'une voix
de commandement.*
Horizon ! reprenez, à mes cocoricos,
Vos lignes de petits peupliers verticaux !

LA FAISANE, *penchée sur la vallée.*
On voit sortir de l'ombre un monde que tu crées !

CHANTECLER
Je te fais assister à des choses sacrées.
– Collines des lointains, précisez vos contours ! –
Faisane, m'aimez-vous ?

LA FAISANE
            Nous aimerons toujours
Être dans le secret des Éveilleurs d'Aurore !

CHANTECLER
Tu me fais mieux chanter. Viens plus près. Collabore.

LA FAISANE, *bondissant près de lui.*
Je t'aime !

CHANTECLER
            Oui ! tous les mots que tu me dis tout bas
Deviennent aussitôt plus de soleil là-bas !

LA FAISANE
Je t'aime !

CHANTECLER
            Et si tu dis seulement : « Je t'adore ! »
Je vais dorer d'un coup la montagne !

LA FAISANE, *hors d'elle.*
                       Eh bien… dore !

CHANTECLER, *lançant son cri*
le plus éclatant.

Cocorico !

La montagne s'est dorée.

LA FAISANE, *montrant les collines*
qui restent violettes.

Mais les coteaux ?

CHANTECLER

Chacun son tour !
C'est aux cimes d'abord de recevoir le jour !
– Cocorico !

LA FAISANE

Ah ! sur une pente engourdie
Glisse un premier rayon…

CHANTECLER, *joyeusement.*

Tiens ! je te le dédie !

LA FAISANE

Les villages lointains commencent à se voir !

CHANTECLER

Coc…

Sa voix se brise.

LA FAISANE

Vous n'en pouvez plus !

CHANTECLER, *se raidissant.*

Si ! je veux en pouvoir !

Il lance éperdument

Cocorico ! Cocorico !

LA FAISANE
Mais tu t'épuises !

CHANTECLER
Vous voyez bien qu'il flotte encor des choses grises…
– Cocorico !

LA FAISANE
Tu vas te tuer !

CHANTECLER
Je ne vis
Que lorsque je me tue à pousser de grands cris !

LA FAISANE, *serrée contre lui.*
Je suis fière de toi !

CHANTECLER, *ému.*
Votre tête s'incline ?

LA FAISANE
J'écoute se lever le jour dans ta poitrine !
J'aime avoir entendu d'abord dans tes poumons
Ce qui sera plus tard des pourpres sur les monts !

CHANTECLER,
tandis que les petites maisons lointaines
commencent à fumer dans l'aurore.
Je te dédie encor ces fermes rallumées :
L'homme offre des rubans, moi j'offre des fumées !

LA FAISANE, *regardant la plaine.*
Je vois grandir ton œuvre au loin !

CHANTECLER, *la regardant.*
Moi, dans tes yeux !

LA FAISANE
Sur les prés !

CHANTECLER

Sur ton col !

Et, tout d'un coup, d'une voix étouffée :

Ah ! c'est délicieux !

LA FAISANE

Quoi ?

CHANTECLER

Je fais mon devoir en te rendant plus belle :
Je redore à la fois mon vallon et ton aile !

*Mais s'arrachant à la tendresse, il se pré-
cipite vers la droite.*

Mais l'ombre, en s'enfuyant, livre encor des combats :
Il reste quelque chose à faire par là-bas !
Cocorico !

LA FAISANE, *regardant le ciel.*

Oh ! là…

CHANTECLER *regarde aussi,
et avec mélancolie.*

Que veux-tu que j'y fasse ?
L'étoile du matin s'efface !

LA FAISANE, *avec le regret
de la petite clarté
que la lumière est obligée d'effacer.*

Elle s'efface !…

CHANTECLER

Ah ! mais… nous n'allons pas nous attrister ainsi ?

*Et s'arrachant à la mélancolie, il se pré-
cipite vers la gauche.*

Il reste quelque chose à faire par ici !
Coc…

> *À ce moment des chants de coqs montent*
> *de la vallée. Il s'arrête et, doucement :*

Tiens ! les entends-tu maintenant ?

LA FAISANE
                              Qui donc ose ?…

CHANTECLER
Ce sont les autres coqs.

LA FAISANE, *penchée sur la plaine.*
                        Ils chantent dans du rose…

CHANTECLER
Ils croient à la clarté dès qu'ils peuvent la voir.

LA FAISANE
Ils chantent dans du bleu…

CHANTECLER
                    J'ai chanté dans du noir.
– Ma chanson s'éleva dans l'ombre, et la première.
C'est la nuit qu'il est beau de croire à la lumière !

LA FAISANE, *indignée.*
Chanter en même temps que toi !…

CHANTECLER
                          Ça ne fait rien.
Leurs chants prennent du sens en se mêlant au mien ;
Et ces cocoricos tardifs, mais qui font nombre,
Hâtent, sans le savoir, la retraite de l'ombre.

> *Droit sur le tertre, il crie aux coqs lointains :*

Oui, tous !…

CHANTECLER
ET TOUS LES COQS À LA FOIS
Cocorico !

Puis

CHANTECLER, *seul,*
avec une cordialité familière.
Hardi, le jour !

LA FAISANE, *trépignant à côté de lui.*
Hardi !

CHANTECLER, *jetant*
des encouragements à la Lumière.
Mais oui, c'est ce toit-là qu'il faut dorer, pardi !
Allons, voyons ! du vert sur cette chènevière [41] !

LA FAISANE, *transportée.*
Du blanc sur le chemin !

CHANTECLER
Du bleu sur la rivière !

LA FAISANE, *dans un grand cri.*
Le soleil ! Le soleil !

CHANTECLER
Il est là ! je le vois !
Mais il faut l'arracher de derrière ce bois !

Et tous les deux, reculant ensemble, ont
l'air de tirer à eux et d'arracher. Chan-
tecler, allongeant son chant comme pour
haler le soleil :

Co…

LA FAISANE, *criant sur le chant du Coq.*
Il vient !

CHANTECLER

… co…

LA FAISANE

Voici…

CHANTECLER

… ri…

LA FAISANE

… qu'il sort…

CHANTECLER

co !…

LA FAISANE

… de l'orme !

CHANTECLER, *dans un dernier cri*
sec et désespéré.

Cocorico !

Ils chancellent tous deux, inondés brus-
quement de lumière.

Enfin ! c'est fait !

Il dit avec satisfaction :

Il est énorme !

Et vient tomber épuisé contre un talus.

LA FAISANE, *courant à lui,*
tandis que tout achève de s'illuminer.

Un chant pour saluer le beau soleil levant !

CHANTECLER, *tout bas.*

Non ! je n'ai plus de voix. Je l'ai donnée avant.

Et comme tous les coqs chantent dans la
plaine, il ajoute doucement :

Ça ne fait rien. Il a les fanfares des autres.

LA FAISANE, *surprise.*

Comment ! quand il paraît il n'entend pas les vôtres ?

CHANTECLER

Non, jamais.

LA FAISANE, *se révoltant.*

Mais alors, il croit peut-être bien
Que c'est eux qui l'ont fait lever ?...

CHANTECLER

Ça ne fait rien !

LA FAISANE

Mais...

CHANTECLER

Chut ! Viens sur mon cœur, que je te remercie.
L'aurore n'a jamais été plus réussie.

LA FAISANE

Mais par quoi serez-vous payé de votre mal ?

CHANTECLER

Par les bruits de réveil qui montent de ce val !

En effet, les rumeurs de la vie commen-
cent à monter.

Dis-les-moi. Je n'ai plus la force de les suivre.

LA FAISANE, *qui court se pencher*
au bord du promontoire, et écoute.

J'entends un doigt qui frappe au bord du ciel de cuivre...

CHANTECLER, *les yeux fermés.*

L'Angélus [42].

LA FAISANE

D'autres coups qui semblent être un peu
Un Angélus de l'homme après celui de Dieu…

CHANTECLER

La forge.

LA FAISANE

Un meuglement, puis un chant…

CHANTECLER

La charrue.

LA FAISANE, *écoutant toujours.*
Un nid semble tombé dans la petite rue…

CHANTECLER, *dont l'émotion grandit.*

L'école.

LA FAISANE

Des lutins que je ne peux pas voir
Se donnent des soufflets dans de l'eau…

CHANTECLER

Le lavoir !

LA FAISANE

Et, tout d'un coup, de tous les côtés, qui sont-elles
Ces cigales de fer qui se frottent les ailes ?…

CHANTECLER, *se redressant,*
plein d'orgueil.

Ah ! puisque sur les faux passent les affiloirs,
Les faucheurs dans les blés vont s'ouvrir des couloirs !

Les bruits augmentent et se mêlent cloches,
marteaux, battoirs, rires, chansons, grince-
ments d'acier, claquements de fouets.

Tout travaille !… Et j'ai fait cela !… C'est impossible !
Ah ! Faisane, au secours ! Voici l'instant terrible !

Il regarde autour de lui, avec égarement.

J'ai fait lever le jour… moi ! Pourquoi ? Comment ? Où ?
Sitôt que ma raison revient, je deviens fou !
Car moi qui crois pouvoir rallumer l'or céleste,
Eh bien… ah ! c'est affreux !

LA FAISANE

Quoi donc ?

CHANTECLER

Je suis modeste !
Tu ne le diras pas ?

LA FAISANE

Non mon Coq !

CHANTECLER

Tu promets ?
– Ah ! que mes ennemis ne le sachent jamais !

LA FAISANE, *émue.*

Chantecler !

CHANTECLER

Je me trouve indigne de ma gloire.
Pourquoi m'a-t-on choisi pour chasser la nuit noire ?
Oui, dès que j'ai rendu les cieux incandescents,
L'orgueil, qui m'enlevait, tombe. Je redescends.
Comment ! moi, si petit, j'ai fait l'aurore immense ?
Et, l'ayant faite, il faut que je la recommence ?
Mais je ne pourrai pas ! Je ne vais pas pouvoir !
Je ne pourrai jamais ! Je suis au désespoir !
Console-moi !

LA FAISANE, *tendrement.*
Mon Coq !

CHANTECLER
Je me sens responsable.
Ce souffle que j'attends quand je gratte le sable
Reviendra-t-il ? Je sens dépendre l'avenir
De ce je ne sais quoi qui peut ne pas venir !
Comprends-tu maintenant l'angoisse qui me ronge ?
Ah ! le cygne est certain, lorsque son cou s'allonge,
De trouver, sous les eaux, des herbes ; l'aigle est sûr
De tomber sur sa proie en tombant de l'azur ;
Toi, de trouver des nids de fourmis dans la terre ;
Mais moi, dont le métier me demeure un mystère
Et qui du lendemain connais toujours la peur,
Suis-je sûr de trouver ma chanson dans mon cœur ?

LA FAISANE, *l'entourant de ses ailes.*
Oui, tu la trouveras, oui !

CHANTECLER
Parle ainsi. J'écoute.
Il faut me croire quand je crois, pas quand je doute.
Redis-moi…

LA FAISANE
Tu es beau !

CHANTECLER
Non, ça, ça m'est égal.

LA FAISANE
Vous avez bien chanté !

CHANTECLER
Dis que j'ai chanté mal,
Mais que je fais lever…

LA FAISANE
Oui, oui, je vous admire…

CHANTECLER

Non ! dis-moi que c'est vrai, ce que je viens de dire.

LA FAISANE

Quoi ?

CHANTECLER

Que c'est moi qui fais…

LA FAISANE

Oui, mon Coq glorieux,

C'est toi qui fais lever l'Aurore !

LE MERLE, *apparaissant brusquement.*

Eh bien, mon vieux !…

SCÈNE IV

LES MÊMES, LE MERLE.

CHANTECLER

Le Merle !… Mon secret !

LE MERLE, *s'inclinant avec admiration.*

Ça !…

CHANTECLER

Ce moqueur alerte !…

À la Faisane.

Ne nous laisse pas seuls ! J'ai l'âme encore ouverte
Les rires entreraient !

LE MERLE

Ça ! ça ! c'est trop beau !

CHANTECLER

Mais…

D'où sors-tu ?

LE MERLE, *montrant*
un des pots de fleurs, vide et renversé.
De ce pot.

CHANTECLER
Comment ?

LE MERLE

J'y consommais
Du perce-oreille cru dans de la terre cuite,
Quand soudain… Ah ! je veux t'exprimer tout de suite
Quel éblouissement…

CHANTECLER
Mais…

LE MERLE

Quoi ? ça jette un froid
Qu'un pot puisse être un jour moins sourd qu'on ne le
[croit ?

CHANTECLER
Écouter dans un pot ! Se peut-il qu'on s'abaisse ?…

LE MERLE
Ah ! qu'importe le pot pourvu qu'on ait l'ivresse ?
Et je viens de l'avoir ! la grande ! J'étais fou !
Je trépignais l'argile en lorgnant par le trou !

LA FAISANE
Vous regardiez ?

LE MERLE, *désignant le trou*
qui est au fond du pot de terre.
Mais oui ! ce rouge tronc de cône
Avait juste un trou noir pour passer mon bec jaune.

Et puis, c'était trop beau… Pardon, mais j'ai du goût !

LA FAISANE

Puisque vous l'admirez, je vous pardonne tout !

CHANTECLER

Mais…

LE MERLE, *allant et venant
avec agitation.*

La belle Beauté !… j'y vais du pléonasme !

CHANTECLER, *étonné.*

Comment ! toi, tu pourrais…

LE MERLE

Tu sais, l'Enthousiasme,
Je ne suis pas porté sur ce genre de sport…
Eh bien, cette fois-ci, mon vieux, c'est le Transport !

CHANTECLER

Vraiment ?

LE MERLE

Je ne prends pas, tu vois, quand je t'admire,
Un pigeon voyageur pour te l'envoyer dire !
Ce Coq qui chante, hou !… Cette aurore qui luit,
Hou !…

LA FAISANE, *au Coq.*

Je crois que je peux vous laisser avec lui.

CHANTECLER

Où vas-tu donc ?

LA FAISANE, *un peu gênée de sa frivolité.*

Je vais chez la…

LE MERLE

Car son aubade

A même fait lever le Jour… de la Pintade !

CHANTECLER, *à la Faisane.*
Dois-je y aller ?

LA FAISANE, *tendrement.*
Sachant jusqu'où tu t'élevas,
Je te dispense de Pintade !

CHANTECLER, *avec une pointe
de mélancolie.*
Et tu y vas !

LA FAISANE, *gaiement.*
J'ai besoin de montrer ton soleil sur ma robe !
Je reviens. Reste.

LE MERLE
Oui, ça vaut mieux qu'il se dérobe !

CHANTECLER, *le regardant.*
Pourquoi ?

LE MERLE, *vivement.*
Pour rien.

Et il recommence à s'extasier.

Ce Coq !…

CHANTECLER, *à la Faisane.*
Tu reviens vite ?

LA FAISANE
Oui, oui.

Bas, avant de sortir.

Tu vois, le Merle noir lui-même est ébloui !

Elle s'envole.

SCÈNE V

CHANTECLER, LE MERLE.

CHANTECLER, *revenant vers le Merle,*
avec abandon.

Et ton sifflet ?...

LE MERLE

Ça me l'a coupé, d'une gifle !
C'est d'admiration, maintenant, que je siffle.
Comme ceci, tu sais...

Il siffle admirativement.

Hu !... Ça !... hu !

Il hoche gravement la tête.

Ça, c'est bien !

CHANTECLER, *avec naïveté.*
Tu n'es pas si mauvais, je le disais au Chien.

LE MERLE, *profondément convaincu.*
Ça, tu sais, mon petit, c'est très fort !

CHANTECLER, *modeste.*
Oh !...

LE MERLE

Pour plaire
Aux poules...

Il siffle encore admirativement.

Hu !... leur persuader qu'on peut faire
Lever l'aube !...

Mouvement de Chantecler.

> Tout simple ?… Il fallait le trouver !
C'est dans l'œuf de Colomb[43] qu'on a dû te couver !

CHANTECLER

Mais…

LE MERLE

> Tous les Don Juan, près de toi, sont des ânes
Faire lever le jour pour lever des faisanes !…
Et c'était fait !…

CHANTECLER, *d'une voix sourde.*

> Tais-toi !

LE MERLE

> Joli, le petit toit
Qu'il faut dorer ! Parfait, les Atomes !

CHANTECLER, *crispé de souffrance.*

> Tais-toi !

LE MERLE

Et le coup de l'accès modeste !… Oh ! je t'adore !
Non ce qu'il la connaît, celui-là !

CHANTECLER, *se contenant,*
d'une voix brève.

> Qui ? l'Aurore ?
Oui, j'ai l'honneur de la connaître.

LE MERLE

> Troubadour !
Tu ne crois pas que c'est arrivé ?

CHANTECLER

> Quoi ? le Jour ?
Mais oui. C'est arrivé. Très bien.

LE MERLE

Oui, mon prophète !
Tu la fais bien. Il la fait bien. Elle est bien faite !

CHANTECLER

La Lumière ?… Assez bien ! Je suis habitué.
Le Soleil m'obéit.

LE MERLE

Oui, mon vieux Josué [44] !
Tu sens venir l'aurore et puis tu coqueriques :
Il n'y a rien de plus roublard que ces lyriques !

CHANTECLER, *éclatant.*

Malheureux !

LE MERLE, *surpris.*

Dans ton pont, toi-même, tu coupas [45] ?

Clignant de l'œil.

Hein ! nous savons comment ça se fait ?

CHANTECLER

Vous ! Moi pas.
Moi, je chante en m'ouvrant le cœur !

LE MERLE, *sautillant.*

C'est un système.

CHANTECLER

Raille tout, mais pas ça, si tu m'aimes !

LE MERLE

Je t'aime.

CHANTECLER, *amèrement.*

À moitié.

LE MERLE

Quand on raille un peu ton « *Fiat Lux* [46] »,
On n'est plus qu'un demi-Castor pour son Pollux [47] ?

CHANTECLER

Oh ! non, pas ça ! pas ça !

LE MERLE

Mon vieux, c'est pas ma faute,
Moi, je ne marche pas !

CHANTECLER, *le suivant des yeux.*

C'est juste, il saute, il saute !

*Et essayant de l'arrêter dans son
sautillement.*

Mais vois dans quel état d'émotion je suis,
Ne fuis plus dans des mots !

LE MERLE, *passant.*

Prends-moi comme je fuis !

CHANTECLER, *suppliant.*

Il s'agit de ma vie, et de la plus profonde !
Oh ! je veux te convaincre, oh ! fût-ce une seconde !
J'ai besoin d'attraper ton âme…

LE MERLE, *passant.*

Ah ?…

CHANTECLER

Une fois !
Dans le fond, n'est-ce pas, tu m'as cru ?

LE MERLE

Je te crois !

CHANTECLER, *avec l'angoisse*
la plus pressante.

Je pense que tu sais ce que ce chant me coûte ?

LE MERLE

Tu penses !

CHANTECLER

Tu m'entends, n'est-ce pas ?

LE MERLE

Je t'écoute !

CHANTECLER

Mais, voyons, pour chanter ainsi que j'ai chanté,
Tu sens bien qu'il fallait avoir…

LE MERLE

Une santé !

CHANTECLER

Ah ! soyons sérieux, car nous avons des ailes !

LE MERLE

Oui, c'est ça, proférons des choses éternelles !

CHANTECLER

Mais pour voir poindre l'aube aux cris de son larynx
Il faut être à la fois…

LE MERLE

Feu Stentor [48] et Feu Lynx [49] !

Il s'évade, d'un saut.

CHANTECLER

Cette âme…

Il se domine.

Oh ! mais je tiens à la poursuivre encore !

Et avec une patience désespérée.

Voyons, le comprends-tu ce que c'est que l'Aurore ?

LE MERLE

Mais oui, mon vieux ! c'est l'heure où l'horizon
                                                [vermeil
– Si j'ose m'exprimer ainsi, – pique un soleil !

Il s'évade, d'un saut.

CHANTECLER

Que dis-tu quand tu vois sur les monts l'aube luire ?

LE MERLE

Je dis que la montagne accouche d'un sourire !

Il s'évade d'un saut.

CHANTECLER, *le suivant.*

Et que dis-tu quand je chante dans le sillon
Même avant le grillon ?

LE MERLE

                        Pends-toi, brave Grillon !

Il s'évade, d'un saut.

CHANTECLER, *hors de lui.*

Tu n'as pas eu besoin de crier quelque chose
Lorsque j'ai fait lever une aurore si rose
Qu'un héron avait l'air, au loin, d'être un ibis ?

LE MERLE

Mais si, mais si, mon vieux, j'ai failli crier : *bis !*

Il s'évade, d'un saut.

CHANTECLER, *épuisé.*

Cette âme !… On est plus las d'avoir couru sur elle
Que d'avoir tout un jour chassé la sauterelle !

Violemment.

Tu n'as pas vu le ciel ?…

LE MERLE, *ingénu.*

Je n'ai pas pu le voir :
On ne voit que le sol par le petit trou noir.

Il montre le pot de terre.

CHANTECLER

Tu n'as pas vu trembler les cimes écarlates ?

LE MERLE

Pendant que tu chantais je regardais tes pattes !

CHANTECLER, *douloureux.*

Ah !…

LE MERLE

Elles esquissaient, sur les mols terre-pleins,
Le pas de l'éveilleur d'aurore !

CHANTECLER, *renonçant.*

Je te plains !
Va-t'en vers l'ombre, Merle obscur !

LE MERLE

Oui, Coq célèbre !

CHANTECLER

Moi, c'est vers le Soleil que je cours !

LE MERLE

Tel un Guèbre [50] !

CHANTECLER

Car sais-tu ce qui vaut de vivre uniquement ?

LE MERLE

Oh ! non ! n'élevons pas le débat, c'est plumant !

CHANTECLER

L'effort qui rend sacré l'être le plus infime !
C'est pourquoi, vil railleur de tout effort sublime,
Je te méprise. Et ce rose et frêle escargot,
Qui tâche à lui tout seul d'argenter un fagot,
Je l'estime.

LE MERLE, avalant prestement
l'escargot que désigne le Coq.

Et moi, je le gobe.

CHANTECLER, avec un cri d'horreur.

Ah ! c'est infâme !
Pour faire un mot, éteindre une petite flamme !
Tu n'as pas plus de cœur que d'âme. Assez. Je romps.

Il s'éloigne.

LE MERLE, sautant sur le fagot,

Oui, mais j'ai de l'esprit.

CHANTECLER, se retournant avec mépris.

Nous en reparlerons.

LE MERLE, qui devient acide.

Soit ! je t'offrais gaîment quelques grains d'ellébore[51].
Je m'en lave après tout les pattes[52]. Corrobore
Ce que tes ennemis vont racontant.

CHANTECLER, se rapprochant.

Qui ? Quoi ?

LE MERLE

Joue à l'Oiseau-Soleil qui dit : « L'Éclat, c'est moi[53] ! »

CHANTECLER

Tu fréquentes donc ceux qui me tiennent en haine ?

LE MERLE

Ah ! ça te vexe ?

CHANTECLER

Oh ! non, pauvre Calembredaine[54] !
L'habitude t'emporte, et ce n'est plus exprès
Que même en amitié tu fais des à-peu-près.

Marchant sur lui.

Quels sont mes ennemis ?

LE MERLE

Les Hiboux.

CHANTECLER

Imbécile !
Mais croire à mon destin me devient trop facile
Si les Hiboux sont contre moi !

LE MERLE

Sois donc heureux :
Ils veulent – l'éclairage étant trop fort pour eux –
Faire couper…

CHANTECLER

Quoi donc ?

LE MERLE

Le compteur !

CHANTECLER

Le ?…

LE MERLE

Ta gorge !

CHANTECLER

Par qui ?

LE MERLE

Par un confrère.

CHANTECLER

Un Coq ?

LE MERLE

Un vrai saint George [55] !

Qui doit t'attendre…

CHANTECLER

Où donc ?

LE MERLE

Chez la Pintade.

CHANTECLER

Ah ! bah !

LE MERLE

C'est un de ces oiseaux dressés pour le combat
Qui ne feraient de nous qu'une capilotade [56]
Si nous allions…

Voyant Chantecler remonter brusquement.

Où donc vas-tu ?

CHANTECLER

Chez la Pintade !

LE MERLE

Ah ! c'est vrai, j'oubliais qu'on est des chevaliers !

*Il feint de vouloir empêcher Chantecler
de passer.*

N'y va pas !

CHANTECLER

Si !

LE MERLE

Non !

CHANTECLER,
s'arrêtant devant le pot,
comme étonné.

Tiens !

LE MERLE

Quoi donc ?

CHANTECLER

Vous ne teniez

Pas dans ce pot ?

LE MERLE

Mais si !

CHANTECLER, *incrédule.*

Comment ?

LE MERLE, *rentrant vivement dans le pot.*

Je réitère !

Il passe son bec par le trou qui est au fond.

Par ce petit trou noir je regardais…

CHANTECLER

La terre ?

Tiens ! regarde le ciel par un petit trou bleu !

Et d'un formidable coup d'aile, il rabat le
pot sur le Merle, qu'on entend se débattre
sous ce chapeau d'argile, avec des sifflets
étouffés.

Car vous fuyez l'azur, Empotés ! mais on peut,
Pour vous forcer d'en voir au moins une rondelle,
Retourner votre pot, quelquefois, – d'un coup d'aile !

Il sort.

Le rideau tombe.

TROISIÈME ACTE
LE JOUR DE LA PINTADE

LE DÉCOR

> *Un coin de jardin à la fois fleuriste et*
> *potager.*

Le légume et la fleur. L'aubergine et le lys.
Le bouquet de la Nymphe[1] et le repas du Faune[2].
Une rose qui règne. Une courge qui trône.
Lavande pour le linge. Oignon pour le coulis.

S'élançant du milieu des grands choux brocolis,
Et tournant vers le dieu dont il quête l'aumône
Sa figure de nègre à collerette jaune,
Le tournesol se donne un vert torticolis.

L'épouvantail, dans les fruitiers, se silhouette.
On voit un arrosoir auprès d'une brouette.
Une bêche est plantée entre les artichauts.

D'un petit mur blanchi tout un côté se mure ;
Et, dessinée en bleu sur le blanc de la chaux,
L'ombre d'une framboise a l'air d'être une mûre.

SCÈNE PREMIÈRE

LA PINTADE, des POULES. CANARDS, POUSSINS, etc.
LA FAISANE, LE MERLE, puis PATOU ;
Chœur invisible de guêpes, d'abeilles et de cigales.
Au lever du rideau, grand jacassement
et grouillement de POULES et de POULETS.

LA PINTADE, *allant de l'un à l'autre*
avec impétuosité.

Bonjour, vous. – On ne peut circuler sans encombres.
Ma foule d'invités va jusques aux concombres !

CHŒUR, *dans les airs.*

Murmurons…

LA PINTADE, *à une Poule.*
Oui, c'est mon raout…

UNE POULE,
regardant d'énormes citrouilles,
pareilles à des grès flammés.

Quels potirons !

LA PINTADE
Des céramiques d'art !

UN POUSSIN,
qui écoute le chœur, bec levé.
On chante ?

LA PINTADE
Oui…

LE CHŒUR
Murmurons…

LA PINTADE, *dégagée.*
J'ai les Guêpes !

À un Poulet.

Bonjour !

Elle tourbillonne.

LE CHŒUR DES GUÊPES
Murmurons – Sur les mûres,
Entourons – Les mûrons – De nos ronds – De murmures !

LA FAISANE, *qui passe,*
avec le Merle, en riant.
Alors, vous étiez pris ?

LE MERLE, *qui achève*
de lui raconter son histoire.
Comme sous un chapeau !
Mais en me débattant j'ai renversé le pot.

Regardant autour de lui.

– Chantecler n'est pas là ?

LA FAISANE, *surprise.*
Il vient donc ?

PATOU, *qu'on voit brusquement paraître*
dans la brouette, d'où il contemple,
comme d'une tribune, le va-et-vient.
Je souhaite
Qu'il change encor d'avis !

LE MERLE
Patou dans la brouette ?

PATOU, *remuant sa tête bourrue*
dans son collier où bat un tronçon de chaîne.
Chantecler, en passant, m'a tout dit, Merle noir.
J'ai cassé de fureur ma chaîne, – et je viens voir !

LA PINTADE, *apercevant le Merle.*
Il est là, le rossard [3] ?… notre Prince des Gales [4] ?

UN CHŒUR, *dans les arbres.*
Merci, – Soleil ! – Merci !

LA FAISANE, *levant la tête.*
Un Chœur ?

LA PINTADE
J'ai les Cigales !

CHŒUR DES CIGALES
Ici – C'est si – Vermeil – Qu'on s'y – Roussit ! – Merci !

LE PINTADEAU, *vite et bas, à sa mère.*
Les Tzigales, maman ! Il faut prononcer « Tzi » !

UNE PIE,
en habit noir et cravate blanche,
annonce les invités à mesure qu'ils entrent
par un de ces trous ronds que font les poules
au bas des haies :
Le Jars !

LE JARS, *entrant, guilleret.*
On annonce ? Hé !

LA PINTADE, *modestement.*
À la porte de ronce,
Oui, j'ai mis un huissier !

L'HUISSIER-PIE, *annonçant.*
Le Canard !

LE CANARD, *entrant, ébloui.*
On annonce ?
Oh !

LA PINTADE, *modeste.*
Mon Dieu, oui ! j'ai mis…

L'HUISSIER-PIE, *annonçant.*
La Dinde !

LA DINDE, *entrant, pincée.*
On annonce ? Ah !

LA PINTADE
Oui ! J'ai pris le mari de la Pie en extra.

CHŒUR, *dans les branches fleuries.*
Abdomens – Veloutés, –

LA DINDE, *levant le bec.*
Un Chœur ?

LA PINTADE, *dégagée.*
J'ai les Abeilles !

LE CHŒUR
Transportez – Les pollens…

LA DINDE
Ah ! toujours des merveilles !

LA PINTADE
Les Abeilles par là… les Tzigales par ci…

À une Poule qui passe.

Ah ! bonjour, vous !

LES ABEILLES, *à droite.*
Pollens…

LES CIGALES, *à gauche.*
Merci !

LES ABEILLES
Pollens…

LES CIGALES
Merci !

LA PINTADE, *à la Faisane.*
J'ai dans mon potager tous les êtres notoires !

LE PINTADEAU
La fleur des pois !

LA PINTADE
Les gros légumes !

LE MERLE
Et les poires !

LA FAISANE, *bousculée*
par le va-et-vient, au Merle.
Derrière l'arrosoir mettons-nous un instant.

LE MERLE
L'Arrosoir, surnommé le « Chauve Intermittent »,
Parce qu'on voit pousser, aussitôt qu'on le penche,
Sur son crâne de cuivre une perruque blanche !

LA PINTADE, *apercevant le Chat,*
qui, allongé sur une branche de pommier,
observe tout.
J'ai le vieux Chat.

LE MERLE
Matousalem [5] !

Sifflotis dans un poirier.

LA PINTADE, *sautant.*
J'ai le Pinson !

LE MERLE
Le Chantre de Monsieur Poirier [6] !

PATOU, *écœuré.*
Oh ! du surnom !

LA PINTADE
La Libellule !

LE MERLE
Mince, alors !

PATOU, *furieux.*
Esprit des Merles !

LA PINTADE, *becquetant
une feuille de chou
d'où tombent des gouttes d'eau.*
J'ai la Rosée.

PATOU, *bourru.*
A-t-elle un surnom ?

LE MERLE
Oui. « Tu perles ! »

LA PINTADE, *désignant
plusieurs Poussins qui circulent.*
Vous avez vu ? J'ai les Poussins de la C. A. !

LA FAISANE
La C. A. !

LA PINTADE
La Couveuse Artificielle !

LA FAISANE

Ah ?

LA PINTADE, *présentant les Poussins.*
Tous du dernier tiroir !

LA FAISANE
Ah ?

UN POUSSIN, *poussant de l'aile son voisin.*
Elle est ébahie !

LA PINTADE, *avec mépris.*
Les œufs qu'on couve, oh !…

LE MERLE
C'est « vieux œufs ».

L'HUISSIER-PIE, *annonçant.*
Le Cobaye [7].

LA PINTADE
Le célèbre, celui qui fut inoculé [8],
Vous savez bien ?… Eh bien, voilà, c'est lui ! Je l'ai !
J'ai tout !… J'ai…

Au Cobaye.

Bonjour, vous !

À la Faisane.

… notre grand philosophe,
Le d'Hindon – oui, son nom s'écrit D apostrophe ! –
Qui conférencia dans les groseilles, sous
Les rosiers-thé… Thé-Conférence !

À une Poule qui passe.

Bonjour, vous !

À la Faisane.

Thé-Conférence, ou bien Groseilles-Causerie !…

Elle tourbillonne.

J'ai tout ! J'ai la Faisane en robe de féerie !
J'ai le Canard, qui m'organise un Gymkhanard[9] !
J'ai la Tortue…

Elle s'aperçoit que la Tortue n'y est pas.

Ah ! non ! non ! elle est en retard !

LE MERLE, *avec componction.*

Sur quoi, la Conférence, alors, qu'elle a perdue ?

LA PINTADE, *subitement grave.*

Le Problème Moral !

LE MERLE, *désolé.*

Oh !

La Pintade remonte en tourbillonnant.

LA FAISANE, *au Merle.*

Qui ça, la Tortue ?

LE MERLE

Une vieille insensible aux problèmes moraux
Et qui fait du footing en costume à carreaux.

Bourdonnement dans des roses trémières.

LA FAISANE

Tiens ! un bourdon !

LA PINTADE, *redescendant vivement.*

J'ai le Bourdon ! Dans les lumières,
Comme il est chic !

LE MERLE
Il est de toutes les trémières !

LA PINTADE, *sautant*
après le Bourdon.

Bonjour, vous !

> *Elle le suit en tourbillonnant.*

LE MERLE, *se touchant le front*
du bout de l'aile.
Ça y est !

LA PINTADE, *poussant,*
au fond, des cris de pintade.
C'est mon dernier raout !
Bonjour ! – C'est mon dernier raout avant août !

UNE POULE, *voyant des cerises*
tomber autour d'elle.
Tiens ! des cerises !

LA FAISANE, *levant la tête.*
C'est la brise !

LA PINTADE, *redescendant vivement.*
J'ai la Brise
Qui fait de temps en temps tomber une cerise !
On ne l'invite pas. Elle arrive impromptu.
J'ai le… j'ai la… j'ai…

> *Elle remonte en tourbillonnant.*

LE MERLE
Quand aura-t-elle tout eu ?

> *En sautillant, il est arrivé à l'arbre où est*
> *le Chat, et, vite, à mi-voix :*

Chat, – le complot ?

LE CHAT, *qui, de sa branche, regarde au*
loin par-dessus la haie.
Ça va. Je vois venir la file
Des Coqs pharamineux que le Paon modern-style
Va présenter…

UN CRI AU-DEHORS
É… on !

Tout le monde se précipite vers l'entrée.

PATOU, *grommelant.*
Ce cri d'accordéon,
C'est…

L'HUISSIER-PIE, *annonçant.*
Le Paon !

LA FAISANE, *au Merle.*
Surnommé ?

LE MERLE, *imitant le cri.*
Le Chevalier d'É… on !

SCÈNE II

Les MÊMES, LE PAON.

LA PINTADE, *au Paon qui entre lentement,*
la tête immobile et haute.
Maître adoré ! venez vers les tournesols jaunes !
Paon ! Tournesols ! Je crois que c'est très Burne
[Jones [10] !

TOUS, *se pressant autour du Paon.*
Cher Maître !

UN POULET, *bas, au Canard.*
On est lancé par un seul mot de lui !

UN AUTRE POULET,
qui a réussi à s'approcher du Paon,
en bégayant d'émotion.

Maître, que pensez-vous de mon dernier cui-cui ?

Attente religieuse.

LE PAON *laisse tomber :*

Définitif.

Sensation.

UN CANARD, *tremblant.*
Et de mon coin-coin ?

Attente.

LE PAON
Lapidaire.

Sensation.

LA PINTADE, *ravie, aux Poules.*
Sur tout il dit chez moi son mot…

LE PAON
Hebdomadaire.

TOUTES LES POULES, *se pâmant.*

Oh !

UNE POULE, *s'avançant, défaillante.*
Comment trouvez-vous, Maître sacerdotal,
Ma robe ?

Attente.

Le Paon, *après un coup d'œil.*
Affirmative.

Sensation.

La Poule de Houdan,
même jeu que l'autre.
Et mon chapeau ?

Attente.

Le Paon

Total.

Sensation.

La Pintade, *enthousiasmée.*
Nos chapeaux sont totaux !

La Faisane, *qui affecte
de n'écouter que les Abeilles.*
Ah ! le Chœur invisible
Revient !

La Pintade, *présentant
le Pintadeau au Paon.*
Mon fils ! – Comment le trouvez-vous ?

Le Paon

Plausible.

Chœur des Abeilles
Murmurons…

La Pintade, *ravie,
courant à la Faisane.*
Oh ! il est plausible !

La Faisane
Qui ?

LA PINTADE

Mon fils !

CHŒUR DES ABEILLES

Engouffrons – Nos fronfrons – Dans l'iris – Et le lys !

LA PINTADE, *revenant au Paon.*
Ce chœur est, n'est-ce pas, d'un rythme…

LE PAON

Asynartète [11].

UNE POULE, *à la Pintade.*
Ma chère, ce qu'il l'a, celui-là, l'épithète !

LA PINTADE
C'est le Prince de l'Adjectif Inopiné !

LE PAON, *distillant ses paroles,*
d'une voix discordante et hautaine.
Il est vrai que…

LA PINTADE
Très bien !

LE PAON
Ruskin [12] plus raffiné,
Avec un tact…

LA PINTADE
Oh ! oui !

LE PAON
… Dont je me remercie,
Je suis Prêtre-Pétrone et Mécène-Messie,
Volatile volatilisateur de mots,
Et que, juge gemmé [13], j'aime, emmi [14] mes émaux,
Représenter ce Goût dont je suis…

PATOU

Ô ma tête !

LE PAON, *nonchalamment.*

Le… dirai-je gardien ?

LA PINTADE, *effervescente.*
Oui !

LE PAON

Non ! le Thesmothète[15] !

Murmure de joie respectueux.

LA PINTADE, *à la Faisane.*
Vous voyez notre Paon !… Vous êtes émue ?…

LA FAISANE, *un peu énervée.*

Oui,

Car je sais que le Coq doit venir.

LA PINTADE, *ravie.*

Aujourd'hui ?
Alors, mon jour est un jour…

LE PAON, *un peu pincé.*
Faste.

LA PINTADE

Un raout faste !

*Elle annonce à tout le monde, avec
enthousiasme.*

Chantecler !

LE PAON, *à mi-voix.*
Vous aurez un triomphe plus vaste !

LA PINTADE, *tressaillant.*
Un triomphe ?

Le Paon hoche la tête avec mystère.

Lequel ?

LE PAON, *s'éloignant.*

Oh ! vous verrez !

LA PINTADE, *impétueusement, le suivant.*

Lequel ?

LE PAON

Oh !

L'HUISSIER-PIE, *annonçant.*

Le Coq de Bræckel ou Campine [16] !

SCÈNE III

Les Mêmes, puis, peu à peu, Les Coqs.

LA PINTADE, *s'arrêtant, saisie.*

Bræckel ?

Chez moi ? C'est une erreur !

LE COQ DE BRÆCKEL, *s'inclinant
devant elle.*

Madame…

LA PINTADE,
*suffoquée devant ce Coq blanc
aux brandebourgs noirs.*

Ah ! ma surprise…

L'HUISSIER-PIE, *annonçant.*

Le Coq de Ramelslohe…

LA PINTADE

Ô Ciel !

L'HUISSIER-PIE, *achevant.*

… à patte grise !

LE PAON, *négligemment,*
à l'oreille de la Pintade,
pendant que l'éblouissant Ramelslohe salue.

C'est un des plus récents leucotites [17].

LA PINTADE, *bouleversée.*

C'est un…

C'est un…

L'HUISSIER-PIE, *d'une voix*
de plus en plus éclatante.

Le Coq Wyandotte à croissants d'acier brun !

Frémissement parmi les Poules.

LA PINTADE, *affolée.*

Ah ! Dieu du ciel !… Mon fils !

LE PINTADEAU, *accourant.*

Maman !

LA PINTADE

Le Coq Wyandotte !

LE PAON, *négligemment.*

Coq à chapeau fraisé dont l'Art Nouveau [18] nous dote !

LA PINTADE, *aux nouveaux venus*
qu'entoure une rumeur d'étonnement.

Chapeau fraisé… Messieurs… Maîtres…

LE PINTADEAU, *qui est allé regarder*
au-dehors.

Maman !

LA PINTADE, *aux Coqs.*

Chez moi !

LE PINTADEAU
Il en arrive encor !

L'HUISSIER-PIE
Le Coq de…

LA PINTADE, *bondissant.*
Ciel ! de quoi ?

L'HUISSIER-PIE
… De Mésopotamie, à deux crêtes [19] !

LA PINTADE

Deux crêtes ?…

Oh !

S'élançant vers le nouveau venu :

Mon cher Maître, oh !

LE PAON
Fi des formes désuètes !
J'ai voulu vous montrer quelques jeunes Messieurs
Un peu superlatifs et vraiment précieux !

LA PINTADE, *revenue vers le Paon.*
Oh ! merci, mon cher Paon !

À la Faisane, d'un ton protecteur.

Pardon, petite amie,
Vous voyez, j'ai le Coq de Mésopotamie
Qui m'arrive…

*Elle court vers lui, qui incline ses deux
crêtes.*

Cher Maître, ah ! pour nous quel orgueil !

L'HUISSIER-PIE
Coq d'Orpington, à plume raide autour de l'œil !

LA PINTADE, *saisie.*
À plume raide autour de l'œil ! oh !...

LE MERLE

Ça s'aggrave !

L'HUISSIER-PIE, *tandis que la Pintade
vole vers l'Orpington.*
Coq Barbu de Varna [20] !

LE PAON, *à la Pintade.*
Très slave !

LA PINTADE, *lâchant l'Orpington
pour le Barbu.*

Oh ! l'âme slave !
Cher Maître !... oh !...

L'HUISSIER-PIE
Le Coq...

LA PINTADE, *bondissant.*
Ciel !

L'HUISSIER-PIE, *achevant.*
... patte rose Scotch Grey !

LA PINTADE, *lâchant le Barbu
pour le Scotch Grey.*

Oh ! cette patte rose ! oh ! qu'elle est à mon gré !
Lancer la patte rose !

Avec une conviction profonde.

Oh ! quelle tentative !

L'Huissier-Pie

Le Coq…

La Pintade, *éperdue.*
C'est impossible encor qu'il en arrive !

L'Huissier-Pie
… À crête en gobelet !

La Pintade, *qui s'élance*
chaque fois avec enthousiasme
vers le nouveau venu.
Cher Maître !… oh ! que c'est neuf !
Un gobelet !…

L'Huissier-Pie
Le Coq Andalou Bleu !

La Pintade, *se ruant*
vers l'Andalou.
Votre œuf
Fut pondu dans le creux vibrant d'une guitare,
Mon cher Maître !

L'Huissier-Pie
Le Coq Langsham !

Le Paon
C'est un Tartare[21] !

Toutes les Poules,
éblouies par ce géant noir.
Un Tartare !

L'Huissier-Pie
Coq de Hambourg crayonné d'or !

CRIS DES POULES, *devant ce Coq*
galonné et coiffé d'un tricorne,
Il est crayonné d'or ! – C'est un Hambourg !

LE MERLE

Major [22] !

LA PINTADE
Mon garden-potager-party sera célèbre !

Au Coq de Hambourg, dont le plastron
est rayé de jaune et de noir :

Oh ! Maître ! oh ! ce gilet ! C'est en quoi ?

LE MERLE

C'est en zèbre !

LA PINTADE
En zèbre !... Oh ! ce sera l'honneur de toute ma...
De tout mon...

L'HUISSIER-PIE
Le Coq...

LA PINTADE, *bondissant.*
Oh !

L'HUISSIER-PIE
... de Burmah !

LA PINTADE

De Burmah !

L'agitation augmente.

LE PAON
C'est un Indien !

LA PINTADE
Il a dans ses yeux l'âme hindoue !

*Elle court vers le nouveau venu, et d'une
voix idolâtre :*

Cher Maître ! L'âme hindoue !… oh !

L'HUISSIER-PIE

Les Coqs de Padoue :
Le Padoue Hollandais de Pologne !

LA PINTADE

Hollandais
De Pologne ! Ah ! c'est plus que je n'en demandais !

*Les Padoue entrent, secouant leurs
panaches.*

L'HUISSIER-PIE

Le Doré ! – L'Argenté !

LA PINTADE, *devant le plumet
retombant du dernier.*

Coiffé d'une cascade !

LE MERLE

À plusieurs ponts !

LA PINTADE, *qui ne sait plus
ce qu'elle dit.*

À plusieurs ponts !

LA FAISANE, *à Patou.*

Pauvre Pintade !
Elle répète tout !

L'HUISSIER-PIE, *annonçant d'une voix
de plus en plus éclatante
des Coqs de plus en plus extraordinaires.*

Coq de Bagdad !

LE PAON, *qui domine le tumulte*
d'une voix de boniment.

Il est

Très Mille et Une Nuits !

LA PINTADE

Oh ! il est très Mille et…

TOUTES LES POULES

Très Mille et…

LA PINTADE

Oh !

LE PAON

C'est Karamalzaman [23] lui-même !

L'HUISSIER-PIE

Coq Bantam à manchette !

LA PINTADE, *transportée.*

Oh ! que c'est dix-huitième !

Un nain [24] ! un nain ! des nains !

LE PINTADEAU, *à mi-voix.*

Mais calme-toi, maman !

LA PINTADE, *criant*
au milieu des Coqs.

Non, non ! je ne peux pas ! C'est Karamalzaman !
Je ne sais plus lequel je préfère, lequel je…

L'HUISSIER-PIE

Le Coq de Gueldre !

LA PINTADE, *se précipitant*
vers le nouveau venu.

Ah ! quel bonheur ! encore un Belge !

L'Huissier-Pie

Le Coq Malais à col de serpent !

La Pintade

                              Mon cher Paon,
Nous vous devrons ce col de cher Paon… de
                                        [serpent…

L'Huissier-Pie

Coq aux flancs de canard ! – Coq à bec de corneille !
– Coq à pieds de vautour !

La Pintade, *qui s'est jetée*
sur les nouveaux arrivants,
pousse des clameurs devant le dernier.

                              Ça, c'est une merveille !
Un albinos ! – Cher Maître ! – Oh ! sur sa tête, il a
Un fromage !…

Une Poule

À la crème !…

Toutes les Poules

                              Oh ! à la crème !… À la…

L'Huissier-Pie

Coq Crèvecœur !

La Pintade, *se précipitant.*

Il a des cornes sur la tête.

Le Paon

Un satanique !

L'Huissier-Pie

Coq Ptarmigan !

Le Paon

                              Un esthète !

LA PINTADE, *se précipitant.*
Oh ! il a sur la tête un casque assyrien !

L'HUISSIER-PIE
Coq Pile Blanc !

LA PINTADE, *se précipitant.*
Il a sur la tête…

> *Elle s'arrête brusquement en apercevant
> sa crête rasée.*

Il n'a rien !
C'est merveilleux !

LE CHAT, *au Merle,*
du haut de son pommier,
en lui désignant le Pile Blanc.
Voilà le bretteur ! Son pied maigre
Cache un rasoir sous la poussière…

> *Le Pile Blanc disparaît dans la foule des
> Coqs de luxe qu'enveloppent les Poules
> piaillantes.*

L'HUISSIER-PIE
Le Coq Nègre !

LA PINTADE, *affolée*
au milieu de tous ces Coqs,
qui remplissent maintenant le potager
d'aigrettes,
de plumets, de casques, de colbacks,
de crêtes doubles et triples :
Ah ! cher Maître ! – Ah ! cher Maître ! – Ah ! cher…

PATOU
Sa tête part !

LA PINTADE, *dans le vide.*
… Maître !

L'Huissier-Pie
Le Coq à doigt supplémentaire par
Multiplication d'organes en série !
– Le Coq cou nu !

La Pintade
Tout nu !

L'Huissier-Pie, *rectifiant.*
Cou nu !

La Pintade, *à une Poule.*
Ah ! ma chérie !
Un Coq sans faux col !

Le Merle
Boum !

L'Huissier-Pie
Les Coqs du Japon !

Le Merle
Bing !

L'Huissier-Pie
Coq Splendens !

La Pintade, *voyant ce Coq dont la queue*
a huit mètres de long.
Quel habit !

L'Huissier-Pie
Coq Sabot !...

Le Merle, *voyant que celui-ci est,*
postérieurement, tout plat.
Quel smoking !

L'Huissier-Pie, *achevant l'annonce.*
... Ou Coq sans croupion !

LA PINTADE, *hors d'elle.*
                    Il n'a pas de derrière !
C'est le couronnement de toute ma carrière !

                    Au nouveau venu, avec effusion.

Maître !… Sans croupion !… c'est du…

                    LE MERLE

                              C'est du culot !

                    L'HUISSIER-PIE, *tandis que les Coqs*
                    de plus en plus hétéroclites surgissent.
Coq Walikikili, dit Choki-Kukullo [25] !
– Pseudo-Chinois Cuculicolor !

                    LA PINTADE
                         Quelle élite !

                    LE PAON
Kaléidoscopiquement cosmopolite [26] !

                    L'HUISSIER-PIE, *annonçant.*
Java bleu ! – Java blanc !

                    LE MERLE, *perdant toute pudeur.*
                         Java bien !

          LA PINTADE, *se précipitant vers les Java.*
                              Ah Messieurs !…

                    L'HUISSIER-PIE
Coq Brahma ! – Coq Cochin !

                    LE PAON, *glorieusement.*
                         Les grands Coqs vicieux !
Tout l'Orient pourri !

                    LA PINTADE, *enivrée.*
                         Pourri !

LE PAON
Grâce malsaine !

LA PINTADE, *au Coq Cochin.*

Ah ! Maître ! Ah ! quel honneur ! Oh ! qu'il a l'œil
[obscène !

L'HUISSIER-PIE, *lançant à toute volée,*
comme gagné par le délire général.
Coqs du Chili frisés à l'envers ! Coqs d'Anvers
À rebours !

TOUTES LES POULES,
s'arrachant les nouveaux venus.
Oh ! pourris ! À rebours !

LA PINTADE
À l'envers !

L'HUISSIER-PIE
Le Coq sauteur sans patte !

UNE POULE, *pâmée.*
Il saute avec son ventre !

LA PINTADE
Un Coq en caoutchouc[27] !

LA FAISANE, *à Patou*
qui, de sa brouette, regarde au loin.
Et Chantecler ?

PATOU
Il entre
Bientôt.

LA FAISANE
Tu l'aperçois ?

PATOU
Là-bas, grattant le sol.

Il vient.

L'HUISSIER-PIE
Le Coq Ghoondook, à huppe en parasol !

CRI D'ENTHOUSIASME

Oh !

L'HUISSIER-PIE
Le Coq d'Ibérie à favoris de linge !

CRI D'ENTHOUSIASME

Oh !

L'HUISSIER-PIE
Le Coq Bans-Backin ou Joufflu de Thuringe !

CRI D'ENTHOUSIASME

Oh !

L'HUISSIER-PIE
Le Coq Cochino-Yankee de Plymouth-Rock !

CHANTECLER, *apparaissant sur le seuil,*
derrière le dernier annoncé.

Voulez-vous annoncer tout simplement : le Coq ?

SCÈNE IV

LES MÊMES, CHANTECLER, puis LES PIGEONS et LE CYGNE.

L'HUISSIER-PIE *toise Chantecler ;*
puis, avec dédain :

Le Coq.

CHANTECLER, *du seuil,*
à la Pintade.
Excusez-moi, Madame…

Il s'incline.

– Mon hommage… –
D'oser me présenter chez vous dans ce plumage…

LA PINTADE
Entrez ! mais entrez donc !

CHANTECLER
Je ne sais si je dois…
C'est que… je n'ai qu'un nombre assez restreint de
[doigts…

LA PINTADE, *indulgente.*
Ça ne fait rien !

CHANTECLER
Jamais je ne fus des Carpathes…
Et… je ne sais comment le cacher… j'ai des pattes…

LA PINTADE
Mais…

CHANTECLER
… La crête en piment, l'oreille en gousse d'ail…

LA PINTADE
Vous êtes excusé ! costume de travail !

CHANTECLER, *avançant.*
… Et je n'ai pour habit – pardon d'être si sobre ! –
Que tout le vert d'Avril et que tout l'or d'Octobre !
Je suis honteux. Je suis le Coq, le Coq tout court,
Qu'on trouve encor, parfois, dans une vieille cour,
Ce Coq fait comme un Coq, dont la forme subsiste
Sur le toit du clocher, dans les yeux de l'artiste,

Et dans l'humble jouet que la main d'un enfant
Trouve sous les copeaux d'une boîte en bois blanc !

UNE VOIX, *ironique,*
partie des groupes éclatants.

Le Coq… Gaulois ?

CHANTECLER, *doucement,*
sans même se retourner.

Ce n'est pas un nom qu'on se donne
Quand on est aussi sûr que moi d'être autochtone ;
Mais je vois, sur vos becs puisque ce nom vola,
Que lorsqu'on dit le Coq tout court, c'est celui-là !

LE MERLE, *à Chantecler, bas.*

J'ai vu ton assassin !

CHANTECLER, *qui voit s'avancer*
la Faisane.

Tais-toi ! Qu'elle ne sache
Rien.

LA FAISANE, *coquettement.*

Vous êtes venu pour me voir ?

CHANTECLER, *s'inclinant.*

Je suis lâche !

LA PINTADE, *qui écoute le Cochinchinois*
lequel chuchote, très entouré des Poules.

Ce Coq Cochinchinois[28] dit des horreurs !

CHANTECLER, *se retournant.*

Assez !

LES POULES *autour du Cochinchinois,*
poussant des petits cris scandalisés.

Oh !

LA PINTADE, *avec ravissement.*
C'est le plus pervers de nos gallinacés !

CHANTECLER, *plus fort.*
Assez !

LE COCHINCHINOIS *s'arrête,*
et, avec un étonnement narquois.
Le Coq Gaulois ?

CHANTECLER
                              Je ne suis pas de Gaule
Si vous donnez au mot un sens vilain et drôle !
Morbleu ! chacune sait que mes claironnements
Sont loin d'avoir été… sopranisés au Mans ;
Mais vos perversités pour petite drôlesse
Qui se fait dans les coins pincer les sot-l'y-laisse [29]
Révoltent mon amour de l'Amour ! Il est vrai
Que je tiens un peu plus à rester enivré
Que ces Cochinchinois qui mêlent, pour qu'on rie,
De la chinoiserie à leur… cochinerie,
Que mon sang court plus vite en un corps moins mastoc,
Et que je ne suis pas un… Cochin, – mais un Coq !

LA FAISANE, *à mi-voix.*
Viens dans les bois. Je t'aime !

CHANTECLER, *qui regarde autour de lui.*
                                          Oh ! voir enfin paraître
Un être véritable, un être simple, un être…

L'HUISSIER-PIE, *annonçant.*
Les Deux Pigeons !

CHANTECLER, *n'en pouvant croire*
ses oreilles, à la Pintade.
                              Ce sont les Deux ?…

LA PINTADE
                                                      Je les attends !

CHANTECLER, *respirant.*

Enfin ! Les Deux Pigeons [30] !

Il court vers l'entrée.

LES PIGEONS, *entrant*
avec des sauts périlleux.

Hop !

CHANTECLER, *qui recule.*

Ils sont culbutants !

LES PIGEONS, *se présentant*
entre deux culbutes.

Les Tumblers [31] ! Clowns anglais !

CHANTECLER

Ô La Fontaine ! où suis-je ?

LA PINTADE, *bondissant*
derrière les acrobates,
qui se perdent dans la cohue des invités.

Hop ! Hop !

CHANTECLER

Les Deux Pigeons qui font de la voltige !
– Oh ! qu'une vérité ferait plaisir à voir !
Qu'une candeur…

L'HUISSIER-PIE, *annonçant.*
Le Cygne !

CHANTECLER, *s'élançant avec joie.*
Ah ! un Cygne !…

Reculant.

Il est noir !

LE CYGNE NOIR, *se dandinant*
avec satisfaction.

J'ai laissé la blancheur et j'ai gardé la ligne !

CHANTECLER

Et vous n'êtes plus rien que l'ombre du vrai cygne !

LE CYGNE, *interdit.*

Mais…

CHANTECLER, *l'écartant*
pour sauter sur un banc d'où il peut voir,
par une brèche de la haie, la prairie, au loin.

Laissez-moi grimper sur ce banc. J'ai besoin
De voir si la Nature existe encore… au loin !
Ah ! l'herbe est verte, une vache broute, un veau tète…
Et, bénissons le Ciel, ce veau n'a qu'une tête !

Il redescend auprès de la Faisane.

LA FAISANE

Viens dans les bois naïfs, sincères et mouillés,
Où nous nous aimerons !

LE MERLE, *à la Pintade,*
lui montrant Chantecler
et la Faisane qui se parlent de très près.

Ça marche !…

LA PINTADE, *émoustillée.*

Vous croyez ?

Elle ouvre ses ailes pour leur faire un
paravent.

Ah ! j'aime tant couver une intrigue secrète !

LE MERLE, *passant son bec*
sous l'aile de la Pintade
pour suivre le manège de la Faisane.

Oui, je crois qu'elle songe à s'annexer la Crête[32] !

LA FAISANE, *à Chantecler.*

Viens !

CHANTECLER, *reculant avec effroi.*

Non ! Je dois chanter où le sort me plaça !
Ici, je suis utile, on m'aime.

LA FAISANE, *qui se souvient*
de ce qu'elle a entendu,
la nuit dans la cour de ferme.

Tu crois ça !
– Non, non ! Viens dans les bois où nous pourrons
[entendre
Deux vrais Pigeons encor s'adorer d'amour tendre[33] !

LE DINDON, *au fond.*

Mesdames, le grand Paon...

LE PAON, *modestement.*

Le Surpaon... qui surprend !...

LE DINDON

...Va nous faire la roue !... – à nos vœux il se rend... –

On se groupe. Tous les Coqs aux pluma-
ges inouïs sont en corbeille autour de leur
Patron.

LE PAON, *s'apprêtant à faire la roue.*

Mon Dieu, je suis – talent qui s'ajoute à ma liste ! –

Nonchalamment.

Dirai-je artificier ?

LA PINTADE, *effervescente.*

Oui !

LE PAON

Non. Pyroboliste [34] !
Car ils sont moins cuprins [35], prasins [36] et smaragdins [37],
Les ruggiéresques [38] jeux des citadins jardins,
Quand pleuvent de tes ciels quatorze-juillettistes,
Capitale ! les capitules [39] d'améthystes [40]
Des chandelles [41] dodécagynes… [42].

CHANTECLER

Sarpejeu [43] !

LE PAON

… Que, j'ose dire, moi, Mesdames, lorsque je…

LA FAISANE

Ah ! j'ai compris le dernier mot.

LE PAON

… Je, dis-je, éploie
L'éventaire-éventail, l'écrin-écran…

ON ENTEND UN CRI D'ADMIRATION

Ah !

CHANTECLER, *à la Faisane.*

L'Oie [44] !

LE PAON

… Sur quoi j'offre au rayon qui rosit le roseau
Tous ces joyeux joyaux !

CHANTECLER

Ah ! quel oiseux oiseau !

Le Paon a ouvert son éventail.

UN COQ, *au Paon.*
Maître, lequel de nous mettrez-vous à la mode ?

UN PADOUE, *s'avançant en hâte.*
Moi ! – J'ai l'air d'un palmier !

UN CHINOIS, *repoussant le Padoue.*
Et moi, d'une pagode !

UN ÉNORME PATTU,
repoussant le Chinois.
Moi ! – Je porte un chou-fleur à mon calcanéum[45] !

CHANTECLER
Chacun est à la fois le Monstre et le Barnum[46] !

TOUS, *paradant et défilant
sous les yeux du Paon.*
Voyez mon bec ! – Voyez mes pieds ! – Voyez mes
[plumes !

CHANTECLER, *leur criant
tout d'un coup.*
Ah ! puisque vous ouvrez un tournoi de costumes,
Le vent vous fait bénir par un Épouvantail !

> *En effet, derrière eux, le vent a soulevé
> les bras de l'Épouvantail, qui, mollement,
> s'étendent au-dessus de cette mascarade.*

TOUS, *reculant.*
Hein ?

CHANTECLER
Et ce Mannequin parle à cet Éventail !

> *Et, tandis que le vent passe, en leur prê-
> tant une vie étrange, dans les loques vides et
> trouées :*

Que dit le pantalon en dansant une gigue ?

Mais… « Je fus à la mode ! » – Et, terreur du becfigue,
Que dit le vieux chapeau qu'un pauvre refusa ?
Mais… « Je fus à la mode ! » – Et l'habit ?… « Je fus à
La mode ! » – Et ses deux bras que nul ne raccom-
                                                    [mode
Veulent saisir le vent qu'ils prennent pour la mode…
Et retombent ! – Le vent est loin !

LE PAON, *aux animaux*
qui restent un peu effrayés.

                                                    Mais, pauvres fous !
L'Objet ne parle pas !

CHANTECLER
L'Homme dit ça de nous !

LE PAON, *à mi-voix, à ses voisins.*
Il m'en veut de ces Coqs que je viens d'introduire !

À Chantecler, ironiquement.

Que pensez-vous de ces beaux Messieurs qu'on voit
                                                    [luire ?

CHANTECLER
Je pense que tout ça c'est des coqs fabriqués
Par des négociants aux cerveaux compliqués
Qui, pour élucubrer un poulet ridicule,
À l'un prennent une aile, à l'autre un caroncule[47] ;
Je pense qu'en ces coqs rien ne reste du Coq ;
Que tout ça c'est des coqs faits de bric et de broc
Qui montent mieux la garde au seuil d'un catalogue
Qu'au seuil d'une humble cour, à côté d'un vieux dogue ;
Que tout ça, c'est des coqs frisottés, hérissés,
Convulsés, que n'a pas apaisés et lissés
La maternelle main de la calme Nature,
Et que tout ça n'est rien que de l'Aviculture !
Et que ces papegais[48] aux plumages discords,
Sans style, sans beauté, sans ligne, et dont les corps
N'ont pas même de l'œuf gardé la douce ellipse,

Semblent sortir d'un poulailler d'Apocalypse !

Un Coq

Mais, Monsieur…

Chantecler, s'exaltant.

Et je dis que – n'est-ce pas, Soleil ? –
Le seul devoir d'un coq est d'être un cri vermeil !
Et lorsqu'on ne l'est pas, cela n'est pas la peine
D'être buboniforme ou révolutipenne [49],
On disparaît bientôt sans avoir rien été
Que la variété d'une variété !

Un Coq

Mais…

Chantecler, allant maintenant
de l'un à l'autre.

Oui, Coqs affectant des formes incongrues,
Coquemars [50], Cauchemars, Coqs et Coquecigrues [51],
Coiffés de cocotiers supercoquentieux… [52].
– La fureur comme un Paon me fait parler, Messieurs !
J'allitère [53] !… –

Et s'amusant à les étourdir d'une volubi-
lité caquetante et gutturale :

Oui, Coquards [54] cocardés de coquilles [55],
Coquardeaux [56], Coquebins [57], Coquelets, Cocodrilles [58],
Au lieu d'être coquets de vos cocoricos,
Vous rêviez d'être, ô Coqs ! de drôles de cocos !
Oui, Mode ! pour que d'eux tu t'emberlucoquasses [59],
Coquine ! ils n'ont voulu, ces Coqs, qu'être cocasses !
Mais, Coquins ! le cocasse exige un Nicolet [60] !
On n'est jamais assez cocasse quand on l'est !
Mais qu'un Coq, au coccyx, ait plus que vous de ruches [61],
Vous passez, Cocodès [62], comme des coqueluches !
Mais songez que demain, Coquefredouilles [63] ! mais
Songez qu'après-demain, malgré, Coqueplumets [64] !
Tous ces coqueluchons [65] dont on s'emberlucoque,

Un plus cocasse Coq peut sortir d'une coque,
– Puisque le Cocassier [66], pour varier ses stocks,
Peut plus cocassement cocufier des Coqs ! –
Et vous ne serez plus, vieux Cocâtres [67] qu'on casse,
Que des Coqs rococos [68] pour ce Coq plus cocasse !

UN COQ
Et le moyen de ne pas être rococo ?

CHANTECLER
C'est de ne penser qu'au...

UN COQ
Qu'au ?...

TOUS LES COQS
Qu'au ?...

CHANTECLER
Cocorico !

UN COQ, *avec hauteur.*
Nous y pensons, Monsieur, et l'avons fait connaître !

CHANTECLER
À qui donc ?

SCÈNE V

LES MÊMES, TROIS POULETS SAUTILLANTS,
qui circulent depuis un moment parmi les Coqs artificiels.

UN POULET SAUTILLANT
Mais à nous !

DEUXIÈME POULET SAUTILLANT
À nous !

TROISIÈME POULET *sautillant*
À nous !

TOUS LES TROIS,
s'inclinant ensemble.

Cher Maître !

PREMIER POULET, *interrogatif.*
La voix ?

DEUXIÈME POULET, *de même.*
Basse ?

TROISIÈME POULET, *de même.*
Ténor ?

DEUXIÈME POULET
Boudouresque [69] ?

TROISIÈME POULET

Elleviou [70] ?

CHANTECLER, *ahuri,*
regardant la Pintade.
Qu'est-ce que c'est ? Un intermède ?

LA PINTADE

Une interview.

DEUXIÈME POULET
La prenez-vous dans la poitrine ?

TROISIÈME POULET

Ou dans la tête ?

CHANTECLER
Si je la prends ?…

PREMIER POULET
Parlez ! C'est l'Enquête !

CHANTECLER, *voulant passer pour fuir.*

L'Enquête ?

TROISIÈME POULET,
lui barrant le chemin.

L'Enquête sur le Mouvement Cocorical !

PREMIER POULET

Votre premier repas, cher Maître, est-il frugal ?

CHANTECLER

Vous dont la question comme un chardon s'agrafe,
Qu'êtes-vous donc ?

PREMIER POULET, *saluant.*

Je suis un Cocoricographe !

DEUXIÈME POULET, *même jeu.*

Un Cocoricologue !

TROISIÈME POULET, *même jeu.*

Un Cocorico…

CHANTECLER, *épouvanté.*

Bien !

Mais…

Il veut passer.

PREMIER POULET

On ne passe pas quand on ne répond rien !

CHANTECLER, *cerné.*

Je…

DEUXIÈME POULET

Vous devez avoir des tendances ?

CHANTECLER

Des foules !

DEUXIÈME POULET
Vers quoi vous sentez-vous attiré ?

CHANTECLER
Vers les poules.

PREMIER POULET, *qui ne rit pas.*
Sur votre chant, de rien ne nous ferez-vous part ?

CHANTECLER
Mais… je le lance !

DEUXIÈME POULET
Et quand vous le lancez ?

CHANTECLER
Il part !

TROISIÈME POULET,
de plus en plus pressant.
Une règle par vous, Maître, est-elle suivie ?

CHANTECLER
Je…

PREMIER POULET
Vous vivez ?…

CHANTECLER
Mon chant !

DEUXIÈME POULET
Et vous chantez ?

CHANTECLER
Ma vie !

TROISIÈME POULET
Mais comment chantez-vous ?

CHANTECLER
En me donnant du mal.

PREMIER POULET
Mais scandez-vous le tripartite ou le normal ?
Coc-ori-co, ou Co-co-ri…

Il bat furieusement la mesure avec son aile.

CHANTECLER, *reculant.*
Il va me battre !

DEUXIÈME POULET
Rythmez-vous : Un-un-deux ? Un-trois ? Trois-un ? Ou
[quatre ?
Quel est votre schéma dynamique ?

LE MERLE, *criant.*
Qui n'a
Pas son petit schéma dynamique ?

CHANTECLER
Dyna ?…

TROISIÈME POULET
Où collez-vous l'accent ? Sur le Co ?…

CHANTECLER
Si je colle
Sur le Co ?…

TROISIÈME POULET
Sur le ri ?…

CHANTECLER
Sur ?…

PREMIER POULET, *s'impatientant.*
Quelle est votre École ?

CHANTECLER

Des Écoles de Coqs ?...

DEUXIÈME POULET, *avec rapidité.*

Mais il y en a qui
Chantent Cocorico ! d'autres, Kikiriki [71] !

PREMIER POULET, *de même.*

On est cocoriquiste ou bien kikiriquiste !

CHANTECLER

Coco ?... Kiki ?...

TROISIÈME POULET

Monsieur, sans compter qu'il existe...

UN COQ, *s'avançant.*

Le seul vrai chant français, c'est : Cock-a-doodle-doo [72] !

CHANTECLER

Mais quel est donc ce coq ?

PREMIER POULET

Un coq anglo-hindou !

DEUXIÈME POULET

Et ce Turc, dont, là-bas, la crête a l'air d'un kyste,
Chante Coucouroucou !

LE TURC, *s'avançant.*

Je suis Coucourouquiste !

DEUXIÈME POULET,
lui criant dans l'oreille.

Ne remplacez-vous pas, cher Maître, en certain cas,
Votre Cocorico par des Cacaracas ?

CHANTECLER, *sursautant.*

Cacaraquiste, alors ?

UN AUTRE COQ,
surgissant à droite.
Moi, Monsieur, je supprime
Les voyelles !

Il chante :

K ! K ! K ! K !

CHANTECLER, *voulant fuir.*
Suis-je victime
D'un songe ?

UN AUTRE COQ, *à gauche,*
s'avance en chantant.
O ! O ! I ! O !... Avez-vous fait l'essai,
Quand vous cocoriquez, de supprimer les C ?

CHANTECLER, *éperdu.*
Qu'est-ce que ces Chinois, ces Turcs et ces Arabes
Sont arrivés à faire avec quatre syllabes ?

UN AUTRE COQ,
écartant tous les autres.
Et moi, je mêle tout : Cocaricocacou !
Dans un chant libre et flou !

CHANTECLER
Je deviens fou !

LE COQ, *criant.*
Flou !

CHANTECLER, *de même.*
Fou !

TOUS LES COQS, *autour de lui,*
se battant entre eux.
– Non, Cacar ! – Non, Kikir ! – Non, Coucour !

CHANTECLER

Lequel croire ?

LE COQ QUI MÊLE TOUT
Le Cocorico libre ! Il est obligatoire !

CHANTECLER
Quel est ce coq qui parle avec autorité ?

PREMIER POULET
C'est un coq merveilleux qui n'a jamais chanté !

CHANTECLER, *avec un humble désespoir.*
Moi, je ne suis qu'un coq qui chante !…

TOUT LE MONDE, *avec dégoût, s'écartant.*

Oh ! bien ! bien !

CHANTECLER

J'ose
Donner mon chant comme un rosier donne sa rose !

LE PAON, *sarcastique.*
Oh ! j'attendais la Rose !

Rires de pitié.

CHANTECLER, *bas, nerveusement,*
au Merle.
Eh bien, mon assassin
Me fera-t-il croquer plus longtemps le poussin[73] ?

TOUT LE MONDE, *avec dégoût.*
La Rose !… oh !

LA PINTADE, *écœurée de tant de banalité.*
Parlez-nous de fleurs plus…

LE PAON

Obsolètes !

Avec la plus dédaigneuse impertinence.

Vous déclinez *Rosa*[74] ?

CHANTECLER

Mais oui, Paon que vous êtes !
D'ailleurs, je vous pardonne, à vous d'avoir osé
Mal parler devant moi de la Rose, *rosæ* ;
Car, pauvre artificier, la lutte est inégale,
Et plus que tous vos feux la Rose est du Bengale[75] !

Il regarde autour de lui.

Mais je somme les Coqs, du Dorking au Bantam,
De défendre avec moi…

UN COQ, *négligemment.*
Qui ?

CHANTECLER
La Rose, *rosam* ;
De déclarer ici, sur-le-champ…

LE MERLE, *ironique.*
Tu te poses

Alors en champion ?…

CHANTECLER
Oui, *rosarum*, des Roses !
… Que l'on doit adorer…

UN COQ
Qui ?

CHANTECLER, *avec une adoration
de plus en plus provocante.*

Les Roses, *rosas* !
Où dort la pluie ainsi qu'en des alcarazas[76],
Et qu'elles sont toujours et seront…

UNE VOIX, *froide et coupante.*

Des fichaises !

> *Tous les Coqs de luxe s'écartent, démas-*
> *quant le Pile Blanc, qui apparaît long,*
> *maigre et sinistre, au fond, entre leurs deux*
> *rangées.*

CHANTECLER

Enfin !

LE MERLE

C'est le moment de grimper sur les chaises !

CHANTECLER, *au Pile Blanc.*

Monsieur...

LA FAISANE

Vous n'allez pas répondre à ce géant ?

CHANTECLER

Il suffit de parler de haut pour être grand.

> *Au Pile Blanc, en traversant lentement*
> *la scène pour aller vers lui.*

Sachez qu'un tel propos ne saurait se permettre,
Et sachez que vous avez l'air...

> *Un poussin se trouvant entre lui et le*
> *Coq de combat, il le met doucement de côté,*
> *en lui disant :*

Pardon, cher Maître !

> *Au Pile Blanc, en lorgnant avec imperti-*
> *nence sa crête coupée.*

... D'un cacatois [77] dont on rasa le catacoi [78] !

LE PILE BLANC, *stupéfait.*

Catacoi ?... cacatoi ?... Quoi ? quoi ? quoi ?

CHANTECLER, *bec à bec avec le Pile Blanc.*

Quoi ? quoi ? quoi ?

Un temps. Ils se regardent, les fraises hérissées.

LE PILE BLANC, *avec emphase.*

Aux Amériques, lors de ma grande tournée,
J'ai tué jusqu'à trois Clayborn dans ma journée.
J'ai tué deux Sherwoods, trois Smoks, un Sumatra.
J'ai tué c'est pourquoi nul ne me combattra
Sans absorber d'abord quelques grains fébrifuges [79] –
Cinq Red-Game à Cambridge et dix Brækel à Bruges !

CHANTECLER, *très simplement.*

Moi, Monsieur, je n'ai rien tué. Mais comme j'ai
Quelquefois secouru, défendu, protégé,
Peut-être suis-je brave à mon humble manière.
Ne prenez pas des airs de tranche-taupinière [80] :
Je suis venu sachant que vous deviez venir.
Cette rose à mon bec était pour vous fournir
L'occasion de la stupidité brutale ;
Vous n'avez pas manqué de la prendre au pétale…
Votre nom ?

LE PILE BLANC
Pile Blanc ! Le vôtre ?

CHANTECLER
Chantecler.

LA FAISANE, *courant vers le Chien.*

Patou !

CHANTECLER, *fièrement, à Patou
qui gronde entre ses dents.*

Toi, reste neutre !

PATOU, *roulant l'R.*

Oui, mais c'est dur, mon cher !

LA FAISANE, *à Chantecler.*

Un coq ne se fait pas tuer pour une rose !

CHANTECLER

Quand on touche à la fleur, le Soleil est en cause !

LA FAISANE, *courant vers le Merle.*

Tout s'arrange, pourtant, vous me l'aviez promis !

LE MERLE

Tout s'arrange, excepté les duels des amis !

LA PINTADE, *poussant*
des cris de désespoir.

Ah ! c'est affreux ! un five o'clock où l'on se tue !
Quel malheur...

> *À son fils.*

... qu'il n'y ait pas encor la Tortue.

UNE VOIX, *criant,*
comme on crie une cote.

Chantecler, dix contre un !

LA PINTADE, *plaçant son monde,*
faisant grimper les Poules sur les pots
de fleurs, sur les citrouilles, sur les chaises.

Vite !

LE MERLE

Elle est au bonheur :
Elle fait les honneurs d'une affaire d'honneur !

> *Un grand cercle se forme. Au second*
> *rang, les Coqs bizarres ; au premier, avides*
> *du spectacle, toutes les Poules, tous les Pou-*
> *lets, tous les Canards de la basse-cour.*

PATOU, *à Chantecler.*

Sois vainqueur ! Ce public voudrait voir tes entrailles !

CHANTECLER, *tristement.*

Je n'ai fait que du bien.

PATOU, *lui montrant
le cercle d'attente et de haine.*

Regarde !

*Tous les cous sont tendus. Tous les yeux
luisent. C'est hideux. Chantecler regarde,
comprend, et baisse la tête.*

LA FAISANE, *avec un cri de mépris.*

Ah ! les volailles !

CHANTECLER, *se redressant.*

Soit ! On saura du moins qui j'étais, aujourd'hui ;
Et mon secret, je vais…

PATOU, *vivement.*

Non ! pas si c'est celui
Qu'a deviné mon cœur de vieil idéaliste !

CHANTECLER, *s'adressant à tous
d'une voix éclatante, la poitrine offerte,
comme celui qui va confesser sa foi.*

Sachez tous que c'est moi…

*Un silence terrible se fait. Au Pile Blanc
qui a un geste d'impatience.*

Pardon, cher duelliste !
Mais je veux faire, avant de me faire tuer
Quelque chose de brave !…

LE PILE BLANC, *surpris.*

Ah ?

CHANTECLER
Me faire huer !

LA FAISANE

Non !

CHANTECLER
Je tiens à mourir sous les rires !

À la foule.

Déferle,
Blague ! Préparez-vous, les élèves du Merle !

D'une voix qui monte encore et qui martèle.

C'est moi qui, de mon chant, vous rallume les cieux !

*Stupeur. Puis, un rire immense secoue la
foule.*

Tout le monde rit bien ? En garde !

LE PADOUE DORÉ, *inclinant son colback.*
Allez, Messieurs !

Le combat commence.

ON ENTEND AU MILIEU
DE LA TEMPÊTE DES RIRES
C'est tordant ! – C'est torsif [81] ! – Je me tords ! – Je suis
[torte [82] !

LE MERLE
Cette vieille gaîté française n'est pas morte !

UN POULET
Il allume en chantant !

UN CANARD
Il chante en allumant !

CHANTECLER, *tout en évitant
les coups que le Pile lui porte.*

Oui, c'est moi qui vous rends la lumière !

UN POUSSIN

Et comment !

CHANTECLER, *d'une voix solennelle,
tout en parant et ripostant.*

Parce qu'il ne veut rien détruire ou faire éclore,
Le chant des autres coqs n'est qu'un rhume sonore !
Le mien…

Il reçoit une blessure.

UNE VOIX

Pan ! sur le cou !

CHANTECLER

… fait lever…

Il reçoit une blessure.

LE DINDON

Cet orgueil !

CHANTECLER

… La Lum…

Il est encore frappé.

UNE VOIX

Pan ! sur le bec !

CHANTECLER

… la Lumi…

UNE VOIX

Pan ! sur l'œil !

CHANTECLER, *hagard,*
aveuglé de sang.

… La Lumière !

UNE VOIX, *gouailleuse.*
C'est à se faire obscurantiste !

CHANTECLER, *qui répète*
machinalement sous les coups.
C'est moi qui fais lever l'Aurore !

PATOU, *aboyant.*

Oui ! oui !

LA FAISANE, *sanglotant.*

Résiste !

UN POULET
Mes enfants, un surnom pour l'Aurore !

TOUS, *trépignant.*

Oui !…

Le Pile Blanc se rue sur Chantecler.

LA FAISANE

Quel choc !

LE MERLE, *servant le surnom demandé.*
La Grande Horizontale !

UNE VOIX
Un surnom pour le Coq !

TOUS, *trépignant.*

Oui !

LE MERLE
Le Chef de Rayons !

UNE AUTRE VOIX
Voyez Clarté Latine [83] !

CHANTECLER, *qui se défend pied à pied.*
Merci ! – Un quolibet encor ! car je piétine !

UNE VOIX
Le Réveille-Latin !

CHANTECLER, *qui ne semble plus soutenu*
que par les insultes.
Encore un calembour !
Et moi qui n'ai jamais fait d'armes qu'en la cour
D'une ferme…

UNE VOIX
Ton bec !

CHANTECLER
Merci !… Je…

Ses plumes, arrachées, volent autour de lui.

CRI DE JOIE
On le plume !

CHANTECLER
… Je sens… – Une ineptie encore !

UN POUSSIN
Allume ! allume !

CHANTECLER
Merci !… – Je sens que plus on va parodiant,
Injuriant, criant, riant, niant…

UN ÂNE, *passant sa tête*
par-dessus la haie.
Hi-han !

CHANTECLER

Merci !… – mieux je saurai me battre !

LE PILE BLANC, *ricanant.*

Il sait se battre !

Mais il s'épuise !

LA FAISANE, *suppliante.*

Assez !

UNE VOIX

Le Pile, on paye quatre !

LA FAISANE, *voyant
la gorge ensanglantée de Chantecler.*

Du sang !

UNE POULE, *se dressant
sur la pointe des pattes,
derrière le Padoue Doré.*

Je voudrais voir le sang !

LE PILE BLANC, *fonçant furieusement.*

J'aurai ta peau !

LA POULE QUI VEUT VOIR

Le chapeau du Padoue est devant moi !

LE MERLE

Chapeau !

*On sent que Chantecler est perdu. Il se
met en boule, comme pour mourir.*

UNE VOIX

Quel coup ! C'est à la crête !

CRIS PERÇANTS
DE LA FOULE EN DÉLIRE

Arrache ! – Égorge ! – Assomme !

– Tue !

PATOU, *dressé dans la brouette.*

Avez-vous fini de pousser des cris d'homme ?

CRIS CADENCÉS, *rythmant férocement*
les coups reçus par Chantecler.

C'est à l'œil – C'est au front ! – C'est à l'aile – C'est à…

Brusque silence.

CHANTECLER, *surpris.*

Tiens ! le cercle se brise et le bruit s'arrêta ?…

Il regarde autour de lui. Le Pile, cessant
de l'attaquer, a reculé contre la haie. Un
mouvement étrange se produit dans la
foule. Chantecler, épuisé, sanglant, trébu-
chant, ne comprenant pas ce qui se passe,
murmure :

Que préparent-ils donc contre mon agonie ?…

Et tout d'un coup, ému.

– Ah ! Patou, quel bonheur !

PATOU

Quoi ?

CHANTECLER

Je les calomnie !

Car tous, cessant de rire et de m'injurier,
Se rapprochent de moi, maintenant !

PATOU, *voyant que tous,*
en se rapprochant de Chantecler,
observent le ciel avec inquiétude,
lève la tête, regarde, et dit simplement :

L'Épervier !

CHANTECLER

Ah !

Une ombre passe avec lenteur sur la foule bariolée, qui se serre et qui se baisse, en se rapprochant de plus en plus, instinctivement, de Chantecler.

PATOU

On ne compte pas quand sa grande ombre passe,
Sur les Coqs étrangers pour chasser le Rapace !

CHANTECLER, *soudain relevé,
grandi, ses blessures oubliées,
gagne le milieu, et de sa voix de
commandement :*

Oui ! tous autour de moi !

Et tous, aussitôt, la tête rentrée dans les ailes, viennent précipitamment s'écraser autour de lui.

LA FAISANE

Cher être brave et doux !

L'ombre passe une seconde fois. Le Coq de combat lui-même se fait petit. Il n'y a plus que Chantecler debout au milieu d'un tas de plumes ébouriffées et tremblantes.

UNE POULE, *suivant des yeux l'Épervier.*

Deux fois déjà son ombre a mis du noir sur nous !

CHANTECLER, *appelant les Poussins
qui courent affolés.*

Par ici, les Poussins !

LA FAISANE

Tu les prends sous ton aile ?

CHANTECLER

Il faut bien… Leur maman est artificielle !

> *L'ombre de l'Épervier, qui décrit des
> cercles toujours plus bas, passe une troi-
> sième fois, plus noire.*

LA FAISANE, *les yeux levés.*

Il plane !

TOUS, *dans un gémissement de terreur.*

Oh !

CHANTECLER, *criant vers le ciel,
d'une voix éclatante.*

Je suis là !

PATOU

Il entend ton clairon…

LA FAISANE

S'éloigne…

> *L'ombre a passé.*

TOUS *se redressent
dans un cri joyeux de délivrance :*

Ah !

> *Et vont en courant reprendre leur place,
> pour voir la fin du combat.*

PATOU

Et l'on voit se reformer le rond !

CHANTECLER, *tressaillant.*

Tu dis ?

> *Il regarde. C'est vrai, le cercle s'est ins-
> tantanément reformé. Les cous sont tendus,
> les yeux luisent.*

LA FAISANE

Et maintenant, tous veulent qu'on te tue,
Pour se venger sur toi de la peur qu'ils ont eue !

CHANTECLER

On ne me tuera plus ! Je me suis redressé
Quand l'Ennemi de tous dans le ciel a passé !

Il marche sur le Pile.

Et j'ai repris courage en tremblant pour les autres !

LE PILE BLANC, *stupéfait*
d'être vigoureusement attaqué.

Mais ses forces, soudain ?…

CHANTECLER

Valent trois fois les vôtres !

Car m'excitant au noir comme au rouge un taureau,
J'ai vu trois fois la nuit dans l'ombre d'un oiseau !

Le Pile Blanc, acculé contre la haie, se
prépare à faire usage de ses couteaux.

LA FAISANE, *criant.*

Gare ! il a deux ergots d'acier tranchant, la brute !

CHANTECLER

Je le savais !

LE CHAT, *du haut de son arbre,*
au Pile Blanc.

Sers-toi de tes rasoirs !

PATOU, *prêt à s'élancer*
de la brouette.

Minute !

S'il s'en sert, je l'étrangle !

LA FOULE, *déçue.*
Oh !

PATOU

Malgré les clameurs !

LE PILE BLANC, *se sentant perdu,*
Tant pis !

LA FAISANE, *qui ne le quitte pas des yeux.*
Il fait tourner un des rasoirs !

LE PILE BLANC, *frappant
de son ergot tranchant.*

Tiens, meurs !

*Il pousse un cri terrible, cependant que
Chantecler, sautant de côté, a évité le coup.*

Ah !

Il s'effondre. Cri de stupéfaction.

PLUSIEURS VOIX
Qu'est-ce ?

LE MERLE,
qui est allé regarder en sautillant.
Rien. Il s'est, d'une façon adroite,
Coupé la patte gauche avec la patte droite.

LA FOULE, *poursuivant d'une huée le Pile,
qui, s'étant péniblement relevé,
se sauve à cloche-pied.*
Hu !

PATOU ET LA FAISANE,
*riant, pleurant, parlant à la fois autour de
Chantecler, qui est demeuré immobile,
exténué, les yeux fermés.*
Chantecler ! – C'est nous ! – La Faisane ! – Le Chien !
– Que nous dis-tu ?

CHANTECLER, *rouvrant les yeux,
les regarde et dit doucement :*
Le jour se lèvera demain !

SCÈNE VI

LES MÊMES, moins LE PILE BLANC.

LA FOULE, *après avoir reconduit le Pile,*
revenant en tumulte vers Chantecler,
qu'elle acclame.

Hourrah !

CHANTECLER, *avec un haut-le-corps,*
et d'une voix terrible.
Arrière tous ! J'ai vu ce que vous êtes !

La foule recule précipitamment.

LA FAISANE, *bondissant auprès de lui.*
Viens donc voir dans les bois de véritables bêtes !

CHANTECLER
Non, je reste !

LA FAISANE
Sachant ce qu'ils sont ?

CHANTECLER
Le sachant !

LA FAISANE
Tu veux rester ici ?

CHANTECLER
Pas pour eux, – pour mon chant !
Il jaillirait moins clair d'un autre sol, peut-être !
Mais pour apprendre au jour qu'il est sûr de renaître
Je vais chanter !

Mouvement obséquieux de la foule pour
se rapprocher.

Arrière tous ! Je n'ai plus rien

Que mon chant !

> *Tous reculent, et, seul avec son orgueil, il*
> *commence :*

    Co...

> *À lui-même, se raidissant contre la douleur,*

Plus rien que mon chant ! Chantons bien !

> *Il recommence à chanter.*

Co... Tiens ! prends-je ma voix de gorge, ou... Co...
                       [de tête ?
Scanderai-je : Un-trois ?... Co... Et l'accent ?... Ça
                       [m'arrête,
Tout ça ! Deux-deux... Trois-un... Coucour... – Depuis
                       [qu'on m'a
Fait penser à tout ça... Kikir... Et le schéma ?...
Coc...

> *Pris d'une angoisse.*

    Je suis embrouillé d'écoles et de règles !
Leur vol décomposé ferait tomber les aigles,
Et...

> *Il essaye un dernier chant qui avorte en*
> *un son rauque :*

    Coc... je ne peux plus chanter, moi dont la loi
Fut d'ignorer comment, mais de savoir pourquoi !

> *Dans un cri de désespoir.*

Je n'ai plus rien ! Ils m'ont tout pris ! Mon chant lui-
                       [même !
Comment le retrouver ?

> LA FAISANE, *lui ouvrant ses ailes.*
> Viens dans les bois...

CHANTECLER, *se jetant sur son cœur.*

Je t'aime !

LA FAISANE

… Où jamais des oiseaux on n'embrouille la voix !

CHANTECLER

Partons !

*Il remonte avec elle ; et se retournant
avant de sortir :*

Mais je veux dire au moins…

LA FAISANE, *essayant de l'entraîner.*

Viens dans les bois !

CHANTECLER

… À tout le Pintadisme assemblé sous ces treilles :
Laissez le potager… – n'est-ce pas, les Abeilles ? –
Travailler à changer en fruits sa floraison !

BOURDONNEMENT DES ABEILLES

Il a raison ! – Il a raison ! – Il a raison !

CHANTECLER

Rien ne se fait de bon dans le bruit. Il empêche
La branche…

LE BOURDONNEMENT, *s'éloignant.*

Il a raison !

CHANTECLER

de mettre à point sa pêche ;
La grappe…

LE BOURDONNEMENT, *se perdant
parmi les feuilles.*

Il a raison !

CHANTECLER

... de mûrir sur le cep !

Il remonte avec la Faisane.

Partons !

Redescendant avec colère.

Mais je veux dire encore à toutes ces P...

La Faisane lui met son aile sur le bec.

Oules !... qu'ils vont s'enfuir, tous ces Coqs peu sincères
Vers les mangeoires d'or qui leur sont nécessaires,
Dès qu'on criera de loin :

Il imite la voix de ceux qui jettent du grain.

« Petits ! petits ! petits ! »
Car tous ces charlatans n'ont que des appétits !

LA FAISANE, *l'emmenant.*

Viens ! viens !

UNE POULE

Elle l'enlève !

CHANTECLER

Oui !

Redescendant.

Mais il faut encore

Que je dise à ce Paon...

Montrant la Pintade.

devant cette pécore...[84].

LA PINTADE, *ravie.*

Il m'insulte chez moi ! c'est sensationnel !

CHANTECLER, *au Paon.*

Faux brave que la Mode a pris pour colonel,
Vous marchez dans la peur dont votre gorge est bleue
De paraître en retard aux yeux de votre Queue [85] ;
Mais, poussé tout le temps par tous ces yeux qu'elle a
Vous tomberez, et vous irez finir dans la
Fausse immortalité que donne, faux artiste,

Imitant la façon de parler du Paon.

Le… dirai-je empailleur ?

LA PINTADE, *machinalement.*

Oui !

CHANTECLER

Non !… taxidermiste [86],
Pour employer le mot que vous auriez choisi !
Voilà, mon cher Paon.

LE MERLE

Pan !

CHANTECLER, *se retournant vers lui.*

Et quant à toi…

LE MERLE

Vas-y !

CHANTECLER

J'y vais.

Il descend.

Toi, tu connus, par quelque matin blême,
Un Moineau de Paris : tu nous l'as dit toi-même.
C'est ce qui t'a perdu. Depuis, la peur te tient
De n'être pas toujours « très moineau-parisien » !

LE MERLE

Mais…

CHANTECLER

J'y vais ! – Et sans soupçonner une minute
Que jamais un sifflet ne pourra dire : « Flûte ! »
Voulant poser tes pieds, toi, le Merle des bois,
Comme si tu marchais sur le pavé de bois,
Désormais…

LE MERLE

Je…

CHANTECLER

J'y vais ! j'y vais ! –… toujours, sans trêve,
Moineautant jour et nuit, moineautant même en rêve,
Condamné par toi-même à moineauter sans fin,
Pour faire le moineau tu feras le serin [87] !

LE MERLE

Mais…

CHANTECLER

Ô touchants efforts d'un oiseau de province !
– Pour dire avec l'accent faubourien : « Mon prince ! »
C'est en vain que tu mets ton gros bec de travers.
Tu veux cueillir les mots d'argot ? Ils sont trop verts !
Chaque grain que tu prends te crève aux mandibules [88] :
Les raisins de Paris sont des grappes de bulles [89] !
N'ayant pris au Moineau que son truc et son tic,
Tu n'es qu'un sous-farceur et qu'un vice-loustic.
Dans ton gros habit noir tu refais en moins juste
Les tours du clown divin dont tu n'es que l'Auguste [90] !
Tu nous ressers les vieux pyrrhonismes [91] jobards
Qu'on trouve en picorant les miettes des grands bars ?
Pauvre petit oiseau qui croit qu'il nous épate
En venant réciter sa nouvelle à la patte !
Les Rivarol [92] manqués s'appellent Calino [93].

LE MERLE

Mais…

CHANTECLER

J'y vais ! – Ah ! tu veux imiter le Moineau ?
Mais, lui, qui n'admet pas que, sournoisement rosse,
De la désinvolture on fasse un sacerdoce
Et que l'on soit espiègle avec autorité,
Il n'est pas le pédant de la légèreté !
Rieur des buissons bas qui jamais ne t'élance,
Toi, tu veux imiter ?…

> *À un des Coqs exotiques, qui, derrière lui,*
> *caquète.*

Coq du Japon, silence !
Ou bien je vous rabats votre kakémono [94] !…

LE COQ DU JAPON

Ah ! permettez !…

CHANTECLER, *continuant, au Merle.*

Tu veux imiter le Moineau,
Qui, toujours ouvrant l'aile au moment qu'il s'esclaffe,
Va souligner ses mots d'un fil de télégraphe ?…
Eh bien, je ne veux pas te faire de chagrin,
Mais – j'entends les moineaux lorsqu'ils pillent mon
[grain ! –
Tu n'y es pas du tout ! On voit luire l'œil rose
Du lapin que l'esprit, quand tu l'attends, te pose !

LE MERLE, *abasourdi.*

Il parle argot ?

CHANTECLER

Je parle tout, étant le Coq,
Depuis la langue d'Oc jusqu'à la langue toc !

LE MERLE

Toc ?

CHANTECLER

Ton bagout, c'est du chiqué[95] !

LE MERLE

Chiqué ?

CHANTECLER

De pauvre !
L'article de Paris qu'on fabrique en Hanovre !
Le sinistre plaqué des bazars !

LE MERLE, *ahuri.*

Le plaqué ?

CHANTECLER

Et d'un bazar qui n'est pas même au coin du quai[96] !

LE MERLE

Comment ! c'est en blaguant maintenant, qu'il me
                                                      [gifle ?

CHANTECLER

Le meilleur des siffleurs, c'est un chanteur qui siffle !

LE MERLE

Mais…

CHANTECLER

Tu m'as dit : « Vas-y ! » J'y vais. Ça te vexa ?

LE MERLE

Je…

CHANTECLER

Le Chef de Rayons te sert. – Et avec ça ?

LE MERLE, *vivement.*

Rien !

Il veut s'éloigner.

CHANTECLER, *le suivant.*
Tu veux imiter le Moineau ? Mais sa blague
N'est pas une prudence, un art de rester vague,
Un élégant moyen de n'avoir pas d'avis :
Il a toujours des yeux furieux ou ravis [97].
Et veux-tu, maintenant, la clef d'or qui remonte
Comme un joujou charmant sa blague jeune et prompte ?
Le veux-tu, le secret par quoi ce camelot [98]
Sait nous cambrioler le cœur avec un mot,
De sorte qu'il n'est rien, à lui, qu'on ne pardonne ?
– « Le voulez-vous ?… Un sou ? deux sous ? Non, je
                                                    [le donne !
Demandez le secret du Moineau de Paris ! »
C'est que ses cris railleurs sont des cris attendris,
C'est qu'il est libre et fier, c'est qu'il croit, c'est qu'il aime,
C'est que, seuls, les barreaux d'un balcon du cinquième
Où pour lui quelque enfant aura mis le couvert
Formeront un instant sa cage à ciel ouvert ;
C'est qu'on peut être sûr qu'il a l'âme gamine
Puisqu'il a gaminé lorsqu'il criait famine ;
Son fameux : « Oh ! la la ! » qui nargue le passant
N'est qu'un cri de douleur dont on changea l'accent…
Ah ! tu veux l'imiter, ce fou qui fait des niches,
Mais de l'Arc de Triomphe habite les corniches
Et les trous de la barricade ?… le Moineau
Qui peut être sublime en répondant : « Guano [99] ! »
Qui chante sous le plomb et rit devant la broche ?
Il faut savoir mourir pour s'appeler Gavroche [100] !
Mais vous qui, sans gaîté parce que sans amour,
Vous êtes figuré que [le] mauvais humour
Peut remplacer la bonne humeur, et qu'on détrône
Le pierrot lorsqu'on n'est qu'un nègre qui rit jaune,
Et que nous confondrons, ô lourdauds sautillants,
Vos mots d'esprit qui sont des éteignoirs brillants
Avec ces traits du cœur qui sont des étincelles,
Vous pouvez vous fouiller [101] – si vous avez des ailes !

LA PINTADE, *qui approuve*
tout ce qui se dit à son jour.

Ah ! très bien !

UN POULET, *au Merle interdit.*

Tu vas te venger ?

LE MERLE, *prudemment.*

Sur le Dindon !

À ce moment,

UNE VOIX *appelle.*

Petits ! petits ! petits !

Et tous les Coqs de luxe, s'élançant vers
l'irrésistible voix de la pâture, sortent en
bousculade.

LA PINTADE, *courant après eux.*

Vous partez ?

UN PADOUE, *resté le dernier.*

Oui… pardon…

Il s'éclipse.

LA PINTADE,
au milieu du brouhaha.

On part ! C'est le départ !

CHANTECLER, *à la Faisane.*

Viens, ma Faisane fauve !

LA PINTADE, *courant à Chantecler.*

Alors, vous vous sauvez ?

CHANTECLER

C'est mon chant que je sauve !

La Pintade, *courant au Pintadeau.*
Oh ! mon fils, je suis dans un état !… je suis dans…

Une Poule, *criant, à Chantecler.*
Et quand reviendrez-vous ?

Chantecler, *avant de sortir.*
Quand vous aurez des dents !

Il part avec la Faisane.

La Pintade, *au Pintadeau.*
C'est la plus belle fête encor qu'il y ait eue !

Tourbillonnant au milieu des derniers invités qui prennent congé.

– Au revoir ! – À lundi ! – C'est fini !

L'Huissier-Pie, *annonçant.*
La Tortue !

Le rideau tombe.

QUATRIÈME ACTE
LA NUIT DU ROSSIGNOL

LE DÉCOR

Au milieu de la forêt.

L'asile vert cherché par tous les cœurs déçus.
L'ombre qui simplifie et la paix qui soulage.
Sous des chênes géants dont on ne sait plus l'âge,
Racines écartant leurs contreforts bossus.

Passages d'écureuils. Lapins entr'aperçus.
Dans des vallonnements où croît le tussilage [1],
Des champignons, parfois, se groupent en village.
Des glands tombent sans bruit, sur la mousse reçus.

Soir. Source. Un liseron. Comme on est loin du monde !
Des bouts d'une bruyère aux pointes d'une osmonde [2]
L'araignée a tendu son piège ornemental ;

Et, noire, l'on dirait – car dans ses fils tombée
Une goutte de pluie est ovale et bombée –
Qu'elle a pris une bête à bon Dieu de cristal.

SCÈNE PREMIÈRE

> *Au lever du rideau, on voit, dans tout le
> sous-bois, à perte de vue, des Lapins qui
> hument le soir. Moment de silence et de
> fraîcheur.*

Les Lapins, Chœur invisible des Oiseaux.

Un Lapin

C'est l'heure où lentement deux Fauvettes, dont l'une
Est à capuchon noir et l'autre à mante brune,
Car l'une est des jardins et l'autre est des roseaux,
Vont dire l'oraison du soir…

Une Voix, *dans les branches.*

Dieu des oiseaux !

Une Autre

*Ou plutôt – car il sied avant tout de s'entendre
Et le vautour n'a pas le Dieu de la calandre[3] !… –
Dieu des petits oiseaux !…*

Mille Voix, *dans les feuilles.*

Dieu des petits oiseaux !

La Première Voix

*Qui pour nous alléger mis de l'air dans nos os
Et pour nous embellir mis du ciel sur nos plumes,
Merci de ce beau jour, de la source où nous bûmes,*

Des grains qu'ont épluchés nos becs minutieux,
De nous avoir donné d'excellents petits yeux
Qui voient les ennemis invisibles des hommes,
De nous avoir munis, jardiniers que nous sommes,
De bons petits outils de corne, blonds ou noirs,
Qui sont des sécateurs et des échenilloirs…[4].

LA DEUXIÈME VOIX

Demain, nous combattrons les chardons et les nielles[5] :
Pardonnez-nous, ce soir, nos fautes vénielles[6]
Et d'avoir dégarni deux ou trois groseilliers.

LA PREMIÈRE VOIX

Pour que nous dormions bien, il faut que vous ayez
Soufflé sur nos yeux ronds que ferment trois paupières.
Seigneur, si l'homme injuste, en nous jetant des pierres,
Nous paye de l'avoir entouré de chansons
Et d'avoir disputé son pain aux charançons,
Si dans quelque filet notre famille est prise,
Faites-nous souvenir de saint François d'Assise
Et qu'il faut pardonner à l'homme ses réseaux
Parce qu'un homme a dit : « Mes frères les oiseaux[7] *! »*

LA DEUXIÈME VOIX,
sur un ton de litanie.

Et vous, François, grand saint, bénisseur de nos ailes…

DES MILLIERS DE VOIX, *dans les feuilles.*

Priez pour nous !

LA VOIX

Prédicateur des Hirondelles,
Confesseur des Pinsons…

TOUTES LES VOIX

Priez pour nous !

LA VOIX

Rêveur
Qui crûtes à notre âme avec tant de ferveur

Que notre âme depuis, se forme et se précise…

TOUTES LES VOIX
Priez pour nous !

LA PREMIÈRE VOIX
Obtenez-nous, François d'Assise,
Le grain d'orge…

LA DEUXIÈME VOIX
Le grain de blé…

UNE AUTRE VOIX
Le grain de mil !

LA PREMIÈRE VOIX
Ainsi soit-il !

TOUTES, *dans un susurrement*
qui court jusqu'au bout de la forêt.
Ainsi soit-il !

CHANTECLER, *sorti depuis un moment*
du creux d'un grand arbre.
Ainsi soit-il !

L'ombre est devenue plus bleue. Un rayon
de lune traverse la toile d'araignée, qui sem-
ble tamiser de la poudre d'argent. La Fai-
sane sort à son tour de l'arbre et s'avance à
petits pas derrière Chantecler.

SCÈNE II

CHANTECLER, LA FAISANE,
parfois des LAPINS, de temps en temps LE PIVERT.

CHANTECLER

– Maintenant, la fougère est de lune baignée ;
Maintenant…

UNE PETITE VOIX TREMBLANTE
Soir, espoir !

LA FAISANE
Merci, bonne Araignée !

CHANTECLER

Maintenant…

LA FAISANE, *tout à fait derrière lui.*
Tu pourrais m'embrasser, maintenant !

CHANTECLER
Tous ces lapins qui nous regardent, c'est gênant !

La Faisane bat brusquement des ailes.
Les Lapins, effrayés, disparaissent : de tous
côtés, des derrières blancs s'engouffrent
dans les terriers.

LA FAISANE, *revenant à Chantecler.*
Voilà !

Ils se becquètent.

Tu l'aimes, ma forêt ?

CHANTECLER
Elle m'est chère,
Puisque j'ai retrouvé mon chant dès sa lisière.
– Branchons-nous, car demain je chante très tôt.

LA FAISANE, *impérieuse.*

Mais

Un seul chant !

CHANTECLER

Oui.

LA FAISANE

Depuis un mois, je n'en permets

Qu'un seul !…

CHANTECLER, *résigné.*

Oui.

LA FAISANE

Le Soleil monte-t-il moins ?

CHANTECLER, *concédant.*

Il monte !

LA FAISANE

Tu vois qu'on peut avoir l'Aurore à meilleur compte !
– Pour un seul chant le ciel est-il moins cramoisi ?

CHANTECLER

Non.

LA FAISANE

Alors ?…

Tendant son bec.

Un baiser…

Trouvant le baiser trop vague.

Tu n'y es pas… Sois-y !

En revenant à son idée.

Pourquoi te surmener ? Tu gaspillais ton cuivre !

C'est très joli, le jour ; mais enfin, il faut vivre !
Ah ! les mâles ! si nous n'étions pas là, voilà
Comme ils seraient dupés !

CHANTECLER, *avec conviction.*

Oui, mais vous êtes là !

LA FAISANE

Et, d'ailleurs, quand je dors, c'est de la barbarie
Que de coqueliner cent fois.

CHANTECLER, *rectifiant doucement.*

Riquer, chérie.

LA FAISANE

On dit « Coqueliner ».

CHANTECLER

« Riquer ».

LA FAISANE, *levant la tête*
vers le haut de l'arbre, et appelant.

Monsieur Pivert !

À Chantecler.

Je consulte l'oiseau qui porte un habit vert.

> *Au Pivert, qui vient d'apparaître à mi-*
> *corps dans un trou rond qui est au haut de*
> *l'arbre. Il a un frac amande, un gilet tilleul*
> *et une calotte rouge.*

Dit-on : « Je coqueline », ou bien « Je coquerique ? »

LE PIVERT, *abaissant un long bec doctoral.*

Les deux !

CHANTECLER ET LA FAISANE,
se tournant l'un vers l'autre,
d'un air triomphant.

Ah !

LE PIVERT
« Line » est tendre et « rique » est plus lyrique.

Il disparaît.

CHANTECLER
C'est pour toi que je coque… line.

LA FAISANE
Oui, mais quand vous
« Riquez », c'est pour l'Aurore !

CHANTECLER, *marchant vers elle.*
Oh ! ça, c'est du jaloux !

LA FAISANE, *reculant coquettement.*
M'aimes plus qu'Elle ?

CHANTECLER, *l'avertissant d'un cri.*
Ay ! un filet !

LA FAISANE, *sautant de côté.*
Prêt à s'abattre !

En effet, il y a, contre un arbre, un filet
dressé.

CHANTECLER, *le considérant.*
Diable !

LA FAISANE
Engin prohibé. Loi de Quarante-Quatre.

CHANTECLER, *riant.*
Comment, tu sais ça, toi ?

LA FAISANE
Vous semblez oublier
Que vous avez l'honneur d'adorer un gibier !

CHANTECLER, *avec un peu de mélancolie.*
Nous sommes, il est vrai, de différentes races !

LA FAISANE, *revenue d'un saut contre lui.*
Plus qu'Elle je voudrais que tu m'adores !

LE PIVERT, *reparaissant.*
… Rasses !

CHANTECLER, *levant la tête.*
Oh ! pas dans un duo d'amour !

LA FAISANE, *au Pivert.*
Dites donc, vous !
Tâchez, une autre fois, de frapper vos trois coups !

LE PIVERT, *disparaissant.*
Bien !

LA FAISANE, *à Chantecler.*
Il met trop son bec entre l'arbre et l'écorce
Mais c'est un grand savant, très fort.

CHANTECLER, *distrait.*
Sur quoi, sa force ?

LA FAISANE
Sur le langage des oiseaux !

CHANTECLER
Ah ?

LA FAISANE
Car, tu sais,
Les oiseaux, pour prier, parlent en vers français ;
Mais ils ont, pour parler entre eux dans les cépées [8],

Un patois cristallin fait d'onomatopées.

CHANTECLER

Ils parlent japonais.

> *Le Pivert frappe de son bec trois petits*
> *coups : Toc ! toc ! toc ! sur le bois de l'arbre.*

Entrez !

LE PIVERT, *apparaissant indigné.*
Japonais ?

CHANTECLER

Oui

Les uns disent : « Tio ! tio ! » et les autres « Tzoui !
[tzoui ! »

LE PIVERT

Les oiseaux parlent grec depuis Aristophane !

CHANTECLER, *s'élançant vers la Faisane.*
Ah ! pour l'amour du grec !…

> *Ils se becquètent.*

LE PIVERT

Sachez, jeune profane,

Que le cri du traquet[9] rieur « *Oui-ouis-tra-tra* »,
Est la corruption du mot *Lysistrata*[10] !

> *Il disparaît.*

LA FAISANE, *à Chantecler.*
Tu n'aimeras jamais que moi ?

> *On entend : Toc ! toc ! toc !*

CHANTECLER

Entrez !

LA FAISANE, *à Chantecler.*

Parole ?...

LE PIVERT *apparaît,*
hochant son bonnet.

« *Tiri-Para !* » chante aux roseaux la rousserolle [11].
Du grec *Para*, « le long ». Sous-entendu : « De l'eau ».

Il disparaît.

CHANTECLER, *à la Faisane.*

Il est coiffé du grec !

LA FAISANE

Dame ! il a pour calot [12]
Un petit bonnet grec !

Revenant à son idée.

Suis-je tout pour toi ?

CHANTECLER

Certes !

Mais...

LA FAISANE

Dans ma robe orientale à manches vertes,
Je t'apparais comment ?

CHANTECLER

Comme un ordre vivant
De toujours adorer ce qui vient du Levant !

LA FAISANE, *qui commence à s'énerver.*

Laisse un peu ton aurore incertaine, et préfère
Celle que dans mes yeux tu es plus sûr de faire !

CHANTECLER

Je n'oublierai jamais, cependant, qu'un matin
Nous avons été deux à croire à mon destin,

Et qu'à l'heure héroïque où l'amour vient d'éclore
Tu me passais ton or pour l'Aurore !

> LA FAISANE, *impatientée.*
>   Ah ! l'Aurore !

Prends garde ! Je ferai des bêtises !…

>   *Elle remonte.*

> CHANTECLER, *sèchement.*
>   Fais-en !

> LA FAISANE

J'ai rencontré dans la clairière…

>   *Elle s'interrompt, à dessein.*

> CHANTECLER *la regarde,*
>   *pousse un cri.*
>   Le Faisan ?

>   *Et avec une violence subite.*

Jure-moi de ne plus aller dans la clairière !

> LA FAISANE, *qui sent qu'elle le tient,*
>   *bondissant vers lui.*

Et jure-moi de m'aimer plus que la Lumière !

> CHANTECLER, *douloureusement.*

Oh !…

> LA FAISANE

De ne plus chanter…

> CHANTECLER
>   Qu'un chant ! Ça, c'est promis.

>   *On entend : Toc ! toc ! toc !*

Entrez !

LE PIVERT, *apparaissant,*
et, du bec, désignant le filet.

Le piège ! c'est le fermier qui l'a mis !
Il a dit qu'il prendrait la Faisane.

LA FAISANE
Il se vante !

LE PIVERT, *à la Faisane.*
Et qu'il vous garderait à la ferme…

LA FAISANE, *indignée.*
Vivante !…

À Chantecler, d'un ton de reproche.

À ta ferme !…

CHANTECLER, *voyant un Lapin*
qui a reparu sur le seuil de son terrier.
Allons, bon ! un lapin qui ressort !

LE LAPIN, *criant à la Faisane,*
en lui montrant le filet.
Vous savez, quand on met le pied sur le ressort…

LA FAISANE, *d'un ton supérieur,*
au Lapin.
Je connais les filets, mon petit… ça se ferme
Et d'ailleurs, je n'ai peur que des chiens…

À Chantecler.

À ta ferme…

Que tu regrettes !

CHANTECLER, *du ton*
de l'innocence outragée.
Moi ?

LA FAISANE, *au Lapin,*
en lui donnant une tape de son aile
pour le faire rentrer.

Que des chiens ! – Et, tenez !
Il faut que j'aille un peu, pour leur brouiller le nez,
Croiser mes pas dans l'herbe et dans les vinaigrettes[13] !

CHANTECLER

Oui, va brouiller le nez des chiens !

LA FAISANE *remonte pour sortir,*
puis revenant.

Tu la regrettes,

Ta ferme ?

CHANTECLER

Moi ?… Moi ?…

Elle sort. Il répète encore, avec indignation :

Moi ?…

En la suivant des yeux. Puis, à mi-voix,
au Pivert.

Elle ne revient pas ?

LE PIVERT, *qui voit au loin*
du haut de son arbre.

Non !

SCÈNE III

CHANTECLER, LE PIVERT.

CHANTECLER, *vivement.*
Fais le guet ! On va me parler de là-bas !

LE PIVERT, *curieux.*

Qui ?

CHANTECLER

Le Merle !

LE PIVERT

J'ai cru qu'il te détestait ?

CHANTECLER

Presque.

Mais tout s'arrange avec l'esprit merlenoiresque,
Et ça l'amuse de me renseigner un peu !

LE PIVERT, *stupéfait.*

Il va venir, lui ?

CHANTECLER, *tout différent
depuis que la Faisane est sortie,
léger, presque gamin.*

Non. Mais le liseron bleu
Qui s'ouvre dans sa cage au milieu des glycines
Correspond, par les fils souterrains des racines,
À ce liseron blanc qui tremble au bord de l'eau :

Il se dirige vers le liseron.

De sorte qu'en parlant dans le calice… [14].

*Il plonge son bec dans un des cornets
laiteux et tremblants.*

Allô !

LE PIVERT, *hochant la tête,
à lui-même.*

Du grec : « *Allos*, un autre »… On parle avec un autre !

CHANTECLER

Allô ! le Merle ?

Le Pivert, *faisant le guet.*

Quelle imprudence est la vôtre !
Parmi les liserons choisir juste celui…

Chantecler, *de plus en plus gai,*
revenant vers le Pivert.

Mais c'est le seul qui reste ouvert toute la nuit !
Quand le Merle répond, l'Abeille qui sommeille
Dans la fleur se réveille, et nous nous…

L'Abeille du liseron

Vrrr !

Chantecler, *courant*
alertement au liseron.

L'Abeille !

Achevant, au Pivert.

Nous nous liseronnons !

Le Pivert, *choqué du néologisme.*

Vous vous liseronnez ?

Chantecler, *qui écoute, dans le cornet.*

Ah ?… ce matin ?…

Le Pivert, *curieux.*

Quoi donc ?

Chantecler, *d'une voix soudain émue.*

Trente poussins sont nés !

Il écoute de nouveau.

Briffaut malade ?…

Comme si quelque chose l'empêchait
d'entendre.

Oh ! des libellules ! Leurs ailes

Crépitent !...

Il crie :

Ne coupez donc pas, Mesdemoiselles !

Il écoute.

Et le grand Jules force à braconner Patou ?

Au Pivert.

Ah ! si tu connaissais Patou !...

Il se replonge dans le liseron.

Ah !... sans moi tout

Va mal ?... Oui...

Satisfait.

Le gâchis !...

LE PIVERT, *qui fait toujours le guet,*
crie soudain, à voix basse.

La Faisane !

CHANTECLER, *toujours dans le liseron.*

Ah ?...

LE PIVERT, *s'agitant désespérément.*

Arrête !

CHANTECLER

Les Canards ont passé la nuit sous la charrette ?...

LE PIVERT

Pst !

SCÈNE IV

LES MÊMES, LA FAISANE.

LA FAISANE, *qui vient d'entrer,*
avec un geste de menace, au Pivert.

Rentrez !

> *Le Pivert rentre précipitamment. Elle*
> *écoute Chantecler.*

CHANTECLER, *dans le liseron,*
de plus en plus intéressé.

Ah ! tiens ? Qui, tous ?… Oui ?… Non ?…
[Oh !… Hé !… Ah ?

LE PIVERT, *qui a reparu timidement,*
à part.

Qu'il mette une fourmi sur sa langue !

CHANTECLER, *dans le liseron.*

Déjà ?

Le Paon démodé ?

LE PIVERT, *essayant de l'avertir*
par-derrière la Faisane.

Pst !

LA FAISANE, *se retournant furieuse.*

Vous !

> *Le Pivert rentre précipitamment en se*
> *cognant la tête.*

CHANTECLER, *dans le liseron.*

Un Vieux Coq ?… J'espère

Que les Poules ?…

> *Avec des intonations progressivement*
> *rassurées.*

Ah ! bien !… Ah ! bien !… ah ! bien !

Il conclut avec un soulagement évident.

Un père !

*Comme répondant à une question qu'on
lui a posée.*

Si je chante ?… Oui… mais loin d'ici, près des étangs…

LA FAISANE

Hein ?

CHANTECLER, *avec un peu d'amertume.*

Les Faisanes d'or n'admettent pas longtemps
Que d'un effort trop dur une gloire s'achète
Je vais donc travailler à l'aurore en cachette !

LA FAISANE, *s'avançant
menaçante derrière lui.*

Oh !

CHANTECLER, *dans le liseron.*

Dès que le bel œil qui m'enivre…

LA FAISANE *s'arrête.*

Ah !

CHANTECLER

… se clôt,

Dès qu'elle dort, délicieuse…

LA FAISANE, *ravie.*

Ah !

CHANTECLER

Je file !

LA FAISANE, *furieuse.*

Oh !

CHANTECLER

Je vais, dans la rosée, au loin, chanter le nombre
De chants qu'il faut ; et quand je sens vaciller l'ombre,
– Oui, quand il ne me reste à frapper qu'un seul chant, –
Je reviens, et sans bruit, vite, me rebranchant,
J'éveille la Faisane en le chantant près d'elle.
Trahi par la rosée !... Oh ! non,

Il rit.

car d'un coup d'aile
J'époussette mes pieds tout argentés d'aiguail...[15].

LA FAISANE, *derrière lui.*

Vous époussetez ?...

CHANTECLER, *se retournant.*

Ay !...

Dans le liseron.

Non... rien... je... plus tard !... Ay !

LA FAISANE, *violente.*

Ainsi, non seulement tu te réintéresses
À la fidélité de tes vieilles maîtresses !...

CHANTECLER, *évasif.*

Oh !

LA FAISANE

Mais encor...

CHANTECLER

Je...

L'ABEILLE DU LISERON
Vrrr !

CHANTECLER, *mettant son aile
sur le liseron.*

Je…

L'ABEILLE DU LISERON, *s'obstinant
sous l'aile de Chantecler.*

Vrrrr !

LA FAISANE

Vous me trompiez
Jusqu'à penser à vous épousseter les pieds !

CHANTECLER

Mais…

LA FAISANE

Ce rustre, tenez, qu'on a pris sur sa meule…
Et l'on ne pourrait pas dans son âme être seule !

CHANTECLER, *se redressant.*

Quand on habite une âme, il vaut mieux, crois-le bien,
S'y rencontrer avec l'Aurore – qu'avec rien !

LA FAISANE, *révoltée.*

Non ! c'est le grand amour que l'Aurore m'enlève !

CHANTECLER

Il n'est de grand amour qu'à l'ombre d'un grand rêve !
Comment ne veux-tu pas qu'il coule plus d'amour
D'un cœur qui par métier doit s'ouvrir chaque jour ?

LA FAISANE, *allant et venant rageusement.*

Je veux tout balayer de ma plume alezane [16],
Moi !

CHANTECLER

Qui donc êtes-vous, vous ?

*Ils sont maintenant dressés l'un contre
l'autre, se bravant du regard.*

LA FAISANE

                              Je suis la Faisane
Qui du mâle superbe a pris les plumes d'or !

CHANTECLER

Vous n'en restez pas moins une femelle encor
Pour qui toujours l'idée est la grande adversaire !

LA FAISANE, *criant.*

Serre-moi sur ton cœur, et tais-toi !

CHANTECLER, *dans une étreinte brutale.*

                                        Je te serre,
Oui, sur mon cœur de Coq !

                                Et avec un regret infini.

                        Mais c'eût été meilleur
De te serrer contre mon âme d'Éveilleur !

LA FAISANE

Me tromper pour l'Aurore ! – Eh bien, quoi qu'il t'en
                                                    [coûte,
Trompe-la pour moi !

CHANTECLER

              Moi ! Comment ?

LA FAISANE, *frappant le sol du pied,*
et d'un ton capricieux.

                                        Je veux…

CHANTECLER, *épouvanté.*

                                        Écoute…

LA FAISANE

… Que tu restes un jour sans chanter !

CHANTECLER

                              Moi !

LA FAISANE

Je veux
Que tu restes un jour sans chanter !

CHANTECLER

Mais, grands dieux !
Laisser sur la vallée, au loin, l'ombre installée ?…

LA FAISANE, *boudeuse*.

Oh ! quel mal cela peut-il faire à la vallée ?

CHANTECLER

Tout ce qui trop longtemps reste dans l'ombre et dort
S'habitue au Mensonge et consent à la Mort !

LA FAISANE

Reste un jour sans chanter,

D'une voix mauvaise.

ça m'ôtera des doutes !

CHANTECLER, *tressaillant*.
Je vois ce que tu veux !

LA FAISANE
Moi, ce que tu redoutes !

CHANTECLER, *vivement*
Je chanterai toujours !

LA FAISANE
Et si tu te trompas ?
Si l'aube vient sans toi ?

CHANTECLER,
avec une résolution farouche.
Je ne le saurai pas !

LA FAISANE, *larmoyant soudain.*
Tu peux oublier l'heure, une fois, si je pleure ?

CHANTECLER

Non !

LA FAISANE
Rien ne peut jamais te faire oublier l'heure ?

CHANTECLER
Rien ! Je sens trop sur moi peser l'obscurité !

LA FAISANE
Tu sens peser ?... Veux-tu savoir la vérité ?
Tu veux chanter pour l'aube, et c'est pour qu'on t'ad-
[mire !
Chanteur, va !...

Avec une pitié méprisante.

Mais tes pauvres notes font sourire
La forêt qui connaît les bémols du bouvreuil [17] !

CHANTECLER
Oui, tu crois maintenant me prendre par l'orgueil,
Mais...

LA FAISANE
Ton chant ne doit pas réunir les suffrages
De quatre champignons et de trois saxifrages [18]
Quand l'ardent loriot [19] lance aux buissons épais
Son « *pirpiriol !* »...

LE PIVERT, *reparaissant.*
Du grec : « *Pur, puros* » !

CHANTECLER
Vous, la paix !

Le Pivert disparaît précipitamment.

LA FAISANE, *insistant.*
Et l'Écho peut sur toi faire quelques réserves
Lorsqu'il entend le grand Rossignol…

CHANTECLER

Tu m'énerves !

Il remonte.

LA FAISANE, *le suivant.*
Tu l'entendis !

CHANTECLER
Jamais.

LA FAISANE
Ses chants sont si puissants
Que la première fois…

Elle s'arrête, frappée d'une idée.

Oh !…

CHANTECLER
Quoi !

LA FAISANE
Rien.

À part.

Ah ! tu sens
Peser la nuit !…

CHANTECLER, *redescendant.*
Quoi ?

LA FAISANE, *avec une petite
révérence ironique.*
Rien.

D'un ton détaché.

Branchons-nous.

Chantecler remonte pour se brancher.
Alors, elle, à part.

Il ignore
Que lorsqu'un rossignol chante en un bois sonore
Et qu'on croit l'écouter cinq minutes chanter,
On a passé la nuit entière à l'écouter,
Trompé comme en un bois de légende allemande.

CHANTECLER, *ne la voyant pas revenir,*
redescend.

Que dis-tu ?

LA FAISANE, *lui riant au bec.*
Rien…

UNE VOIX, *dehors.*
L'Illustre Coq ?

CHANTECLER, *regardant autour de lui.*
On me demande ?

LA FAISANE, *qui est allée*
du côté d'où vient la voix.
Là, dans l'herbe…

Et soudain elle recule.

Ah ! mon Dieu ! ce sont les…

Avec un haut-le-cœur.

Ce sont les…

Elle se cache d'un bond dans l'arbre creux,
en disant :

Reçois-les !

SCÈNE V

CHANTECLER, LA FAISANE cachée dans le creux de l'arbre,
LES CRAPAUDS.

UN GROS CRAPAUD, *surgissant*
de l'herbe.

Nous venons…

On aperçoit d'autres crapauds derrière lui.

CHANTECLER
Ventrebleu ! qu'ils sont laids !

LE GROS CRAPAUD, *obséquieusement.*
… Pour saluer, au nom de la Forêt qui pense,
L'auteur de tant de chants…

Il a mis la main sur son cœur.

CHANTECLER, *avec dégoût.*
Oh ! sa main sur sa panse !

LE GROS CRAPAUD, *faisant*
un petit saut vers lui.

Neufs !

UN AUTRE CRAPAUD, *même jeu.*
Clairs !

UN AUTRE CRAPAUD, *même jeu.*
Brefs !

UN AUTRE CRAPAUD, *même jeu.*
Vifs !

UN AUTRE CRAPAUD, *même jeu.*
Grands !

UN AUTRE CRAPAUD, *même jeu.*
Purs !

CHANTECLER
Asseyez-vous, Messieurs !

Ils s'asseyent autour d'un grand cèpe
comme autour d'une table.

LE GROS CRAPAUD
Certes, nous sommes laids…

CHANTECLER, *poliment.*
Vous avez de beaux yeux !

LE GROS CRAPAUD, *se soulevant*
des deux mains sur le cèpe.
Mais, Chevaliers de ce Champignon-Table-Ronde,
Nous fêterons le Parsifal [20] qui lance au monde
Un chant sublime !

DEUXIÈME CRAPAUD
Et vrai !

LE GROS
Céleste !

TROISIÈME CRAPAUD
Et terrien !

LE GROS, *avec autorité.*
Auprès duquel le chant du Rossignol n'est rien !

CHANTECLER, *interdit.*
Le chant du Rossignol ?

DEUXIÈME CRAPAUD,
d'un ton sans réplique.
N'est rien auprès du vôtre !

CHANTECLER, *confus.*

Messieurs…

LE GROS, *avec un petit saut.*
Il était temps qu'un autre…

DEUXIÈME CRAPAUD, *même jeu.*
Un autre…

TROISIÈME CRAPAUD, *même jeu.*
Un autre…

QUATRIÈME CRAPAUD
Un autre chant étrange…

CINQUIÈME CRAPAUD,
vivement, à son voisin.
Et surtout étranger !…

LE GROS
Vînt ici tout changer !

CHANTECLER
Ah ! je vais tout changer ?

TOUS
Gloire au Coq !

CHANTECLER
La forêt ne m'est pas si sévère !

LE GROS
Fini, le Rossignol !

CHANTECLER, *de plus en plus surpris.*
Fini ?

DEUXIÈME CRAPAUD
Son chant s'avère
Insignificatif !

LE GROS

Philomélandreux [21] !

TROISIÈME CRAPAUD

Nul !

QUATRIÈME CRAPAUD, *avec mépris.*

Vieux brio !

CINQUIÈME CRAPAUD

Et ce nom qu'il prit : Bulbul !

TOUS, *pouffant de rire,*
en sautillant.

Bul-bul !

LE GROS

Il fait comme ça :

Parodiant le chant du Rossignol :

« Tio ! Tio ! »

DEUXIÈME CRAPAUD

Il n'a pour ressource
Qu'un vieux trille d'argent plagié de la source !

Il imite aussi d'une façon grotesque le
chant du Rossignol.

« Tio ! »

CHANTECLER

Mais...

LE GROS, *vivement.*

Ne défends pas, toi qui rénoves l'Art,
Ce pontife du gargarisme [22] sensiblard !

DEUXIÈME CRAPAUD

Ce vieux ténor fêtant par une cavatine [23]
Son éternel été de la Saint-Lamartine !

TROISIÈME CRAPAUD

Ce « Prends-ton-luth [24] » qui file encor l'arioso [25] !

CHANTECLER, *indulgent.*

Que voulez-vous, si ça l'amuse, cet oiseau !

LE GROS

… Et fait sévir la vocalise virtuose !

CHANTECLER

Il est clair qu'à présent nous voulons autre chose !

TROISIÈME CRAPAUD,
d'un ton sans réplique.

Ton chant vrai démasqua l'artifice des siens !

TOUS, *dans une explosion.*

À bas Bulbul !

CHANTECLER, *qu'ils ont peu à peu
entouré.*

Messieurs et chers Batraciens…
Ma voix lance, il est vrai, des notes naturelles…

LE GROS

Oui, tu nous fais pousser des ailes !

CHANTECLER, *modestement.*

Oh !

TOUS, *se trémoussant
comme pour s'envoler.*

Des ailes !

LE GROS

Mais en chantant la Vie !

CHANTECLER

En effet…

DEUXIÈME CRAPAUD

Oui, mon cher,

La Vie !

CHANTECLER, *avec abandon,*
Et c'est pourquoi mon panache est en chair !

TOUS LES CRAPAUDS, *applaudissant
avec leurs petites mains.*

Bravo ! – Très bien !

LE GROS

Cette formule est un programme !

DEUXIÈME CRAPAUD

Puisqu'on est réunis autour d'un cryptogame [26],
Si l'on offrait au chef…

CHANTECLER, *se défendant.*
Messieurs !

DEUXIÈME CRAPAUD

… qui nous manquait,

Un banquet ?

TOUS, *frappant sur le champignon
avec enthousiasme.*
Un banquet !

LA FAISANE, *sortant sa tête
du creux de l'arbre.*
Qu'est-ce donc ?

CHANTECLER, *tout de même un peu flatté.*

Un banquet !

LA FAISANE, *légèrement ironique.*

Vous acceptez ?

CHANTECLER

Mon Dieu !... les tendances nouvelles...
L'Art... la Forêt qui pense...

Il désigne les Crapauds.

Oui, j'ai donné des ailes...

D'un ton dégagé.

Fini, le Rossignol !... vieux trille... vieux brio !...
Il fait...

Aux Crapauds.

Comment fait-il ?

TOUS LES CRAPAUDS, *grotesquement.*
« Tio ! Tio ! »

CHANTECLER, *à la Faisane,*
avec une indulgente pitié.

Il fait : « Tio ! Tio ! »
Et je crois que je peux accepter sans scrupules...

UNE VOIX, *dans l'arbre,*
au-dessus de lui, fait éclater
une longue note émouvante et limpide.

Tio !

Silence.

CHANTECLER *a tressailli, et levant la tête :*
Qu'est-ce ?

LE GROS CRAPAUD, *vivement et gêné.*
Rien ! C'est lui !

LA VOIX, *lentement et merveilleusement,*
avec le soupir d'une âme entre chaque note.

Tio ! Tio ! Tio !... Tio !

CHANTECLER, *se tournant*
vers les Crapauds.

Crapules !

LES CRAPAUDS, *reculant.*

Hein ?

SCÈNE VI

LES MÊMES, LE ROSSIGNOL, invisible,
et peu à peu, TOUTES LES BÊTES DE LA FORÊT.

LE ROSSIGNOL, *dans l'arbre,*
de sa voix haletante.

Je sens, tout petit, perdu dans l'arbre noir,
Que je vais devenir l'immense cœur du soir !

CHANTECLER, *marchant*
vers les Crapauds.

Vous osez...

LES CRAPAUDS, *reculant.*

Mais...

LE ROSSIGNOL

... La lune enchante la ravine !

CHANTECLER

... Comparer mon chant rude à cette voix divine ?
Crapules de Crapauds ! – Et je ne voyais pas
Qu'on lui faisait ici ce qu'on m'a fait là-bas !

LE GROS CRAPAUD, *se gonflant soudain.*
Eh bien, oui !...

LE ROSSIGNOL
Les vapeurs tremblent comme des tulles...

LE GROS CRAPAUD, *glorieusement.*
Nous sommes les Crapauds chamarrés de pustules !

Et tous, maintenant, se dressent, gonflés,
entre l'arbre et Chantecler.

CHANTECLER
Je n'ai pas vu, moi qui n'ai jamais envié,
La table vénéneuse où j'étais convié !

LE ROSSIGNOL
Qu'importe ! Tôt ou tard, toi le fort, moi le tendre,
Nous devions, par-dessus les Crapauds, nous entendre !

CHANTECLER, *religieusement.*
Chante !...

UN CRAPAUD, *qui s'est traîné en hâte*
au pied de l'arbre où le Rossignol chante.
Engluons l'écorce avec nos petits bras,
Et bavons sur le pied de l'arbre !

Ils rampent tous vers l'arbre.

CHANTECLER, *essayant d'arrêter*
l'un d'eux qui lourdement se hâte.
N'as-tu pas
Toi-même, pour chanter, Crapaud, une voix pure ?

LE CRAPAUD, *avec l'accent*
de la plus sincère souffrance.
Oui... mais quand j'en entends une autre, je suppure !

Et il rejoint ses frères.

LE GROS CRAPAUD,
comme mâchonnant une écume.

Il nous vient sous la langue on ne sait quels savons,
Et…

À son voisin :

Tu baves ?

L'AUTRE
Je bave !

UN AUTRE
Il bave…

TOUS
Nous bavons !

UN CRAPAUD, *passant*
tendrement son bras
autour du cou d'un retardataire.

Viens baver !

CHANTECLER, *au Rossignol.*
Mais ils vont gêner ton chant suave ?

LE ROSSIGNOL, *fièrement.*
Non ! Je prends leur refrain dans ma chanson, et…

LE GROS CRAPAUD,
caressant la tête d'un petit.

Bave !

LES CRAPAUDS, *tous ensemble,*
au pied de l'arbre,
qu'ils entourent d'un cercle grouillant.
C'est nous qui sommes les Crapauds !

LE ROSSIGNOL
… Et j'en fais une Villanelle [27] !

LES CRAPAUDS

Nous crevons dans nos vieilles peaux !

LE ROSSIGNOL

Et moi, je chante sans repos,
Tout en laissant pendre mon aile !

LES CRAPAUDS

C'est nous qui sommes les Crapauds !

> *Et la Villanelle continue, formée par les*
> *voix alternées, dont l'une fait la chanson, tou-*
> *jours plus haute et plus enivrée, et les autres le*
> *refrain, toujours plus envieux et plus bas.*

LE ROSSIGNOL ET LES CRAPAUDS,
alternant.

Je chante ! Car les ciels trop beaux,
Le soir qui tient, dans la venelle… [28].
– Nous crevons dans nos vieilles peaux ! –

… De trop voluptueux propos ;
L'air qui sent trop la pimprenelle… [29].
– C'est nous qui sommes les Crapauds ! –

L'amour trop sûr de ses appeaux [30],
Forcent mon âme trop charnelle…
– Nous crevons dans nos vieilles peaux ! –

… À livrer les secrets dépôts
Qu'un dieu terrible a mis en elle !
– C'est nous qui sommes les Crapauds ! –

J'ai dans mon cœur tous les sanglots,
Tous les pays dans ma prunelle…
– Nous crevons dans nos vieilles peaux ! –

Je vis, je meurs à tout propos
Je suis la Chanson Éternelle !
– C'est nous qui sommes les Crapauds ! –

CHANTECLER, *entraîné dans le rythme.*

Ah ! je n'ai, près de ces pipeaux,
Qu'une voix de Polichinelle[31] !
Chante… Ils reculent !

LES CRAPAUDS, *qui reculent en effet,*
dispersés par le chant vainqueur.

… vieilles peaux !

CHANTECLER

Ils iront bouillir dans des pots
De sorcière criminelle,
Car ils ne sont que des…

LES CRAPAUDS, *déjà sous les buissons.*

… crapauds !

CHANTECLER

Mais toi ! les Bêtes, en troupeaux,
Viennent boire à ta villanelle :
Tout s'approche !… On voit…

LA VOIX DES CRAPAUDS, *se perdant*
dans les herbes.

… eilles peaux !

CHANTECLER

… Venir, sur le bout des sabots,
Une biche un peu solennelle
Qu'un loup suit à pas de loup…

LES CRAPAUDS, *tout à fait disparus.*

… pauds !

CHANTECLER

L'Écureuil descend des coupeaux !
La Forêt devient fraternelle !
L'Écho seul répète encor…

VAGUE NOTE, *très loin.*

... peaux !

CHANTECLER

Il n'existe plus de crapauds !

> *Le chant règne. Il n'est plus, depuis un*
> *moment, qu'une romance sans paroles, une*
> *suite de notes éperdues.*

Les vers luisants ont allumé leur petit ventre ;
Toute la bonté sort, toute la haine rentre ;
Ceux qui seront mangés viennent s'asseoir en rond
Sur l'herbe où sont assis ceux qui les mangeront ;
L'Étoile, tout à coup, semble moins éloignée,
Et, désertant son hexagone, l'Araignée
Monte vers la chanson en avalant son fil !

TOUT LE BOIS,
dans un long gémissement d'extase.

Oh !...

> *Et le bois est comme enchanté, le clair de*
> *lune plus ému ; les tendres feux verts des*
> *lampyres clignotent dans la mousse ; et de*
> *tous les côtés, entre les fûts des arbres, glis-*
> *sent des ombres de bêtes charmées : des*
> *museaux pointent, des yeux luisent... Et le*
> *Pivert est à sa fenêtre d'écorce, balançant*
> *rêveusement le bec ; et tous les Lapins, les*
> *oreilles dressées, sont sur leur seuil d'argile.*

CHANTECLER

Quand il chante ainsi sans parler, que dit-il,
Écureuil ?

L'ÉCUREUIL, *d'une cime,*

Les élans !

CHANTECLER

Toi, Lièvre ?

LE LIÈVRE, *dans un taillis.*
                                          Les alarmes !

CHANTECLER

Toi, Lapin ?

UN DES LAPINS
              La rosée !

CHANTECLER
                        Et toi, Biche ?

LA BICHE, *au fond des bois,*
                                          Les larmes !

CHANTECLER

Loup ?

LE LOUP,
dans un doux hurlement lointain.
        La lune !

CHANTECLER
              Et toi, l'Arbre à la blessure d'or,
Pin chanteur ?

LE PIN, *dont une branche*
bat vaguement la mesure.
              Il me dit que ma résine encor
Ira sur les archets chanter en colophane[32] !

CHANTECLER
Et toi, que te dit-il, Pivert ?

LE PIVERT, *en extase.*
                        Qu'Aristophane…

CHANTECLER, *l'interrompant vivement.*
Je sais ! – Toi, l'Araignée ?

L'ARAIGNÉE, *se berçant au bout de son fil.*
                              Il dit la Goutte d'eau
Qui brille sur ma toile ainsi qu'un beau cadeau !

CHANTECLER
Et toi, la Goutte d'eau qui brilles sur sa toile ?

UNE PETITE VOIX, *venant de la toile.*
Le Ver luisant !

CHANTECLER
                              Et toi, le Ver luisant ?

UNE PETITE VOIX, *dans l'herbe.*
                              L'Étoile !

CHANTECLER
Et vous, s'il m'est permis de vous interroger,
De quoi vous parle-t-il, Étoile ?

UNE VOIX, *dans le ciel.*
                              Du Berger !

CHANTECLER
Ah ! quelle est cette source…

LA FAISANE, *qui guette l'horizon,*
entre les arbres.
                              Et la nuit est moins noire !

CHANTECLER
… Où chacun trouve l'eau qu'il a besoin de boire [33] ?

Écoutant avec plus d'attention.

Il me parle du jour que mon chant fait briller !

LA FAISANE, *à part.*
Et t'en parle si bien que tu vas l'oublier !

CHANTECLER, *apercevant un oiseau*
qui, sorti peu à peu d'un fourré,
écoute avec béatitude.
Et comment traduis-tu son poème, Bécasse ?

LA BÉCASSE
Je ne sais pas. Mais c'est ravissant !

LA FAISANE, *qui, elle, n'oublie pas*
de surveiller le ciel entre les branches.
– À part :
La nuit passe !

CHANTECLER, *au Rossignol,*
d'une voix découragée.
Chanter !… Mais connaissant ton cristal sans défaut,
Vais-je me contenter de mon cuivre ?

LE ROSSIGNOL
Il le faut !

CHANTECLER
Vais-je pouvoir chanter ? Mon chant va me paraître,
Hélas ! trop rouge et trop brutal !

LE ROSSIGNOL
Le mien, peut-être,
M'a semblé quelquefois trop facile et trop bleu !

CHANTECLER
Oh ! comment daignes-tu me faire cet aveu ?

LE ROSSIGNOL
Tu t'es battu pour une amie à moi, la Rose !
Sache donc cette triste et rassurante chose
Que nul, Coq du matin ou Rossignol du soir,
N'a tout à fait le chant qu'il rêverait d'avoir !

CHANTECLER, *avec un désir passionné.*
Oh ! être un son qui berce !

LE ROSSIGNOL
Être un devoir qui sonne !

CHANTECLER
Je ne fais pas pleurer !

LE ROSSIGNOL
Je n'éveille personne !

*Mais après ce regret, il reprend, d'une
voix toujours plus haute et plus lyrique :*

Qu'importe ! Il faut chanter ! chanter même en sachant
Qu'il existe des chants qu'on préfère à son chant !
Chanter jusqu'à ce que…

*Une détonation. Un éclair dans le hal-
lier* [34]. *Court silence. Puis, un petit corps
roussâtre tombe aux pieds de Chantecler.*

CHANTECLER *se penche, le regarde.*
Le Rossignol !… Les brutes !

*Et sans voir le tremblement pâle qui com-
mence à saisir l'air, il s'écrie, dans un
sanglot :*

Tué !… quand il n'avait chanté que cinq minutes !

Une ou deux plumes voltigent lentement.

LA FAISANE
Là… ses plumes…

CHANTECLER, *pendant que le corps
a un dernier soubresaut.*
Meurs donc, petit André Chénier [35] !

*Bruit de feuilles froissées ; et, d'un buis-
son, émerge la grosse tête ébouriffée de
Patou.*

SCÈNE VII

Les Mêmes ; Patou, qui sortira un moment.

CHANTECLER, *à Patou.*

Toi !…

Avec un reproche.

Tu viens le chercher ?

PATOU, *honteux.*

Pardon… Ce braconnier

M'oblige…

CHANTECLER, *qui s'était jeté*
devant le corps pour le protéger, le démasque.

Un rossignol !…

PATOU, *baissant la tête.*

Oui. La race méchante

Aime lancer du plomb dans un arbre qui chante !

CHANTECLER

Vois… L'insecte creuseur de tombe est arrivé…

PATOU, *reculant doucement.*

Je ferai comme si je n'avais rien trouvé !

LA FAISANE, *guettant toujours l'aube.*

Il n'a pas vu la nuit s'enfuir…

CHANTECLER, *penché vers les herbes*
qui commencent à remuer
autour du petit corps.

Coléoptère !

Où le corps a frappé viens vite ouvrir la terre !

– Les Nécrophores [36] noirs sont les seuls fossoyeurs

Qui savent ne jamais vous emporter ailleurs,

Pensant que la moins triste et plus pieuse tombe
C'est la terre qui s'ouvre à la place où l'on tombe !

> *Aux Insectes funèbres, tandis que le Ros-*
> *signol commence doucement à s'enfoncer.*

Creusez !

LA FAISANE, *à part,*
regardant l'horizon.

Là-bas…

CHANTECLER
En vérité, je vous le dis,
Bulbul verra ce soir l'Oiseau du Paradis !

LA FAISANE, *à part.*
Le fond blanchit…

> *Coup de sifflet au loin.*

PATOU, *à Chantecler.*
Je vais revenir. On m'appelle.

> *Il disparaît.*

LA FAISANE, *qui regarde*
tantôt l'horizon, tantôt le Coq,
avec inquiétude.
Ah ! comment lui cacher ?…

> *Elle s'avance tendrement vers Chan-*
> *tecler, l'aile ouverte, pour lui cacher le côté*
> *qui s'éclaire un peu, et profitant de sa*
> *douleur :*

Viens pleurer sous mon aile !

> *Il met, avec un sanglot, sa tête sous l'aile*
> *consolatrice… qui se rabat vivement sur*
> *lui. Et la Faisane le berce en murmurant :*

Tu vois bien que mon aile est douce… tu vois bien…

CHANTECLER, *d'une voix étouffée.*

Oui…

LA FAISANE, *le berçant toujours*
et regardant de temps en temps derrière elle,
d'un rapide mouvement de tête,
où en est la lumière.

… Qu'une aile est un cœur déployé…

À part.

L'aube vient !

À Chantecler.

Tu vois bien…

À part.

L'air pâlit.

À Chantecler.

… Qu'elle est…

À part.

Tout l'arbre est rose !

À Chantecler.

… Un bouclier qui berce, un manteau qui repose,
Un baiser qui finit par devenir un toit…
Tu vois bien…

Elle bondit en arrière, et écartant brus-
quement ses ailes :

que le jour peut se lever sans toi !

CHANTECLER,
avec le plus grand cri de douleur
que puisse pousser un être.

Ah !

LA FAISANE, *continuant implacablement.*
… que les mousses vont bientôt être écarlates !

CHANTECLER, *courant aux mousses.*
Ah ! non, non ! attendez ! pas sans moi !…

Les mousses s'empourprent.

Les ingrates !

LA FAISANE
L'horizon…

CHANTECLER, *suppliant, à l'horizon.*
Non !…

LA FAISANE
… Se dore !

Tout le fond se dore en effet.

CHANTECLER, *chancelant.*
Ah ! quelle trahison !

LA FAISANE
On est tout pour un cœur, rien pour un horizon !

CHANTECLER, *défaillant.*
Ah ! c'est vrai…

PATOU, *qui rentre, joyeux et cordial.*
Me voilà, c'est moi, je viens te dire
Qu'ils veulent tous ravoir, dans la ferme en délire,
Le Coq qui fait le jour du haut de son talus.

CHANTECLER
Ils le croient maintenant que je ne le crois plus !

PATOU, *s'arrêtant, saisi.*
Comment ?

LA FAISANE, *se serrant âprement*
contre Chantecler.

Tu vois qu'un cœur qui contre vous se serre
Vaut mieux qu'un ciel auquel on n'est pas nécessaire !

CHANTECLER

Oui !...

LA FAISANE

Que l'ombre, après tout, vaut bien le jour lorsqu'au
Fond de l'ombre on est deux !

CHANTECLER, *égaré.*
Oui... oui...

Mais, tout d'un coup, il s'écarte d'elle, se
redresse et d'une voix éclatante :

Cocorico !

LA FAISANE, *interdite.*
Pourquoi chantes-tu donc !

CHANTECLER
Pour m'avertir moi-même,
Puisque j'ai par trois fois renié ce que j'aime [37] !

LA FAISANE

Et quoi donc ?

CHANTECLER
Mon métier !

À Patou.

Reprenons le sentier !
Allons-nous-en !

LA FAISANE
Que vas-tu faire ?

CHANTECLER
Mon métier !

LA FAISANE, *avec fureur.*
Quelle nuit reste-t-il à vaincre ?

CHANTECLER
La paupière !

LA FAISANE, *lui montrant*
la pourpre grandissante de l'Aurore.
Soit ! tu réveilleras les dormeurs…

CHANTECLER
Et saint Pierre !

LA FAISANE
Mais tu vois que le jour s'est levé sans ta voix !

CHANTECLER
Mon destin est plus sûr que le jour que je vois !

LA FAISANE, *désignant le corps*
du Rossignol, déjà à moitié disparu
dans la terre.
Pas plus que ce chanteur ta Foi ne peut renaître !

UNE VOIX, *dans l'arbre,*
au-dessus de leurs têtes,
fait tout à coup éclater
la note émouvante et limpide.
Tio ! Tio !

LA FAISANE, *frappée de stupeur.*
Un autre chante ?

PATOU, *les oreilles frémissantes.*
Et mieux encor peut-être !

LA FAISANE, *regardant*
avec effroi dans le feuillage,
puis dans la petite tombe qui se creuse.

Un autre chante quand celui-ci disparaît ?

LA VOIX

Il faut un rossignol, toujours, dans la forêt !

CHANTECLER, *avec exaltation.*

Et, dans l'âme, une foi si bien habituée
Qu'elle y revienne encore après qu'on l'a tuée !

LA FAISANE

Mais si le soleil monte ?

CHANTECLER

           Eh bien, c'est que dans l'air
Il avait dû rester de ma chanson d'hier !

      À ce moment, des vols mous et gris pas-
      sent à travers les arbres.

LES HIBOUX, *ululant de joie.*

Il s'est tu !

PATOU, *qui a levé la tête*
et les suit des yeux.

Les Hiboux, fuyant la clarté neuve,
Sont rentrés dans le bois !

LES HIBOUX, *regagnant leurs trous*
dans les vieux arbres.

Il s'est tu !

CHANTECLER, *toute sa force retrouvée.*

              Et la preuve
Que je servais à la clarté quand je chantais,
C'est que tous les Hiboux sont gais quand je me tais !

      Et marchant vers la Faisane, avec une
      sorte de défi.

Je fais venir l'Aurore !… et je fais plus !

LA FAISANE, *suffoquée.*

Vous faites ?…

CHANTECLER

Car, dans les matins gris où tant de pauvres bêtes,
S'éveillant sans y voir, n'osent croire au réveil,
Le cuivre de mon chant remplace le soleil !

Et il remonte en disant :

Allons chanter !

LA FAISANE

Comment reprend-on du courage
Quand on doute de l'œuvre ?

CHANTECLER

On se met à l'ouvrage !

LA FAISANE, *avec une colère obstinée.*
Mais si tu ne fais pas se lever le matin ?

CHANTECLER

C'est que je suis le Coq d'un soleil plus lointain !
Mes cris font à la Nuit qu'ils percent sous ses voiles
Ces blessures de jour qu'on prend pour des étoiles !
Moi, je ne verrai pas luire sur les clochers
Le ciel définitif fait d'astres rapprochés ;
Mais si je chante, exact, sonore, et si, sonore,
Exact, bien après moi, pendant longtemps encore,
Chaque ferme a son Coq qui chante dans sa cour,
Je crois qu'il n'y aura plus de nuit !

LA FAISANE

Quand ?

CHANTECLER

Un Jour !

LA FAISANE

Va-t'en donc oublier notre forêt !

CHANTECLER

Non certe,
Je n'oublierai jamais la noble forêt verte
Où j'appris que celui qui voit son rêve mort
Doit mourir tout de suite ou se dresser plus fort !

LA FAISANE, *d'une voix
qui veut être insultante.*

Rentre à ton poulailler, le soir, par des échelles !

CHANTECLER

Les oiseaux m'ont appris qu'on monte avec ses ailes !

LA FAISANE

Va voir ta vieille Poule au fond de son panier !

CHANTECLER

Ah ! forêt des Crapauds, forêt du Braconnier,
Forêt du Rossignol, forêt de la Faisane,
Quand elle me verra, ma vieille paysanne,
Revenir de ton ombre où l'on souffre en aimant,
Que dira-t-elle ?

PATOU, *imitant la vieille voix attendrie.*

« Il a grandi »…

CHANTECLER, *avec force.*

Certainement !

Il va pour sortir.

LA FAISANE

Il part !… Pour les garder quand ils sont infidèles,
Des bras ! des bras ! des bras ! – Nous n'avons que des
[ailes !

CHANTECLER *s'arrête,*
et la regarde, troublé.

Elle pleure ?

PATOU, *vivement…*
Va-t'en !

CHANTECLER, *à Patou.*
Reste un peu !

PATOU

Je veux bien !
Rien ne sait regarder pleurer comme un vieux chien !

LA FAISANE, *criant,*
à Chantecler, avec un bond vers lui.

Emmène-moi !

CHANTECLER *se retourne,*
et d'une voix inflexible.

Veux-tu passer après l'Aurore ?

LA FAISANE, *dans un recul sauvage.*

Jamais !

CHANTECLER
Alors, adieu !

LA FAISANE
Je te hais !

CHANTECLER, *qui déjà s'éloigne*
à travers les broussailles.

Je t'adore !
Mais je servirais mal l'œuvre qui me reprend
Près de quelqu'un pour qui quelque chose est plus
[grand !

Il disparaît.

SCÈNE VIII

LA FAISANE, PATOU, *puis* LE PIVERT,
LES LAPINS *et* TOUTES LES VOIX DE LA FORÊT QUI S'ÉVEILLE.

PATOU, *à la Faisane.*

Pleurez !

L'ARAIGNÉE, *dans sa toile,*
qui tamise maintenant l'or d'un rais de soleil.

Matin, chagrin !

LA FAISANE, *furieuse,*
et cassant la toile d'un coup d'aile.

Tais-toi, sale Araignée !
– Ah ! puisse-t-il mourir pour m'avoir dédaignée !

LE PIVERT, *qui, de sa fenêtre,*
suit le départ de Chantecler,
tout d'un coup, avec effroi :

Le Braconnier l'a vu !

LES HIBOUX, *dans les arbres.*

Le Coq est en danger !

UN JEUNE LAPIN, *qui se dresse*
pour voir ce que fait le Braconnier.

Il casse son fusil en deux !

UN VIEUX LAPIN

Pour le charger !

PATOU, *terrifié.*

Va-t-il, cet assassin aux guêtres de basane,
Tirer sur un Coq ?

LA FAISANE, *ouvrant ses ailes*
pour se lever.

Non, s'il voit une Faisane !

PATOU, *se jetant devant elle.*
Qu'allez-vous faire ?

LA FAISANE
Mon métier !

Elle s'envole vers le danger.

LE PIVERT, *voyant que dans son élan*
elle va toucher en passant
le ressort du piège oublié.
Gare au filet !

Trop tard, le réseau s'abat.

LA FAISANE, *avec un cri de désespoir.*
Ah !

PATOU
Elle est prise !

LA FAISANE, *se débattant dans les mailles.*
Il est perdu !

PATOU, *affolé.*
Elle est… il est…

Tous les Lapins ont sorti la tête pour voir
ce qui se passe.

LA FAISANE, *criant une ardente prière.*
Aube, protège-le !

LES HIBOUX, *sautant de joie*
sur leurs branches.
Le canon luit ! luit !

LA FAISANE
Touche
De ton aile mouillée, Aurore, la cartouche !
Fais le pied du chasseur sur l'herbe dévier !

C'est ton Coq ! Il a chassé l'ombre et l'épervier !
Il va mourir ! – Toi, Rossignol, dis quelque chose !

LE ROSSIGNOL,
dans un sanglot suppliant.

Il s'est battu pour une amie à moi, la Rose !

LA FAISANE, *solennellement.*

Qu'il vive ! Et je vivrai dans la cour, près du soc !
Et j'admettrai, Soleil ! abdiquant pour ce Coq
Tout ce dont mon orgueil le tourmente et l'encombre,
Que tu marquas ma place en dessinant son ombre !

Le jour grandit. Murmures de tous les côtés.

LE PIVERT, *chantant.*

L'air est bleu !

UN CORBEAU *passe en croassant.*

Un jour croît !

LA FAISANE

                                    Tout s'éveille à l'entour...

TOUS LES OISEAUX,
se réveillant dans la feuillée.

Bonjour ! Bonjour ! Bonjour ! Bonjour ! Bonjour !
                                                            [Bonjour !

LA FAISANE

Tout chante...

UN GEAI, *passant comme un éclair bleu.*
Ha ! Ha !

LE PIVERT, *hochant la tête.*
                    Ce Geai rit d'un rire homérique !

LA FAISANE, *criant au milieu*
de toutes les rumeurs matinales.

Qu'il vive !

LE GEAI, *repassant.*
Ha ! Ha !

UN COUCOU, *au loin.*
Coucou !

LA FAISANE
Moi, j'abdique !

PATOU, *levant les yeux au ciel.*
Elle abdique !

LA FAISANE
Lumière à qui j'osai le disputer, pardon !
Éblouis l'œil cruel qui cherche le guidon[38] !
Et que ce soit, Rayons du matin, la victoire
De votre poudre d'or…

Une détonation. Elle pousse un cri bref.

Ah !

Puis achève d'une voix éteinte :

… sur leur poudre noire !

Silence.

LA VOIX DE CHANTECLER, *très éloignée.*
Cocorico !

CRI DE TOUS
Sauvé !

LES LAPINS, *jaillissant gaiement*
de leurs terriers.
Culbutons sur le thym !

UNE VOIX, *fraîche et grave,*
dans les arbres.

Dieu des oiseaux… !

LES LAPINS, *cessant leurs culbutes,*
et brusquement immobiles et recueillis.

C'est la prière du matin !

LE PIVERT, *criant à la Faisane.*

On vient pour le filet !…

LA FAISANE *ferme ses yeux, et résignée :*

Soit !

LA VOIX, *dans les arbres.*

Dieu par qui nous sommes…

PATOU

Chut ! Baissez le rideau, vite ! Voilà les hommes !

> *Il sort. Tous les animaux se cachent. La Faisane reste seule. Et, dans le filet, les ailes ouvertes, la gorge haletante, écrasée par terre, sentant le géant qui approche, elle attend.*
>
> *Le rideau tombe.*

NOTES

PRÉLUDE

1. Licence poétique très courante chez Rostand et maintes
   fois utilisée au cours de la pièce. L'élision du e muet
   permet au poète le gain d'une syllabe dans le décompte
   de l'alexandrin.
2. Le bandeau désigne ici la bordure saillante qui sert à marquer les pourtours de la voûte du théâtre. Généralement
   décoré, le bandeau, du côté de la scène, comporte en son
   centre un masque, « visage d'homme ou de femme
   sculpté, qui est employé comme ornement » (Pierre
   Larousse, *Grand Dictionnaire universel du XIXe siècle*, 1866,
   désormais abrégé par les initiales *GDU*).
3. La clarine est une « petite sonnette qu'on pend au cou des
   animaux pour les empêcher de s'égarer quand on les
   mène paître » (*GDU*).
4. Nicolas de Malebranche (1638-1715), philosophe et
   prêtre, disciple de Descartes, eut pour principale ambition de concilier la raison et la foi chrétienne. Il nia ainsi
   la possibilité pour les bêtes d'avoir de l'intelligence et de la
   volonté, les représentant comme de simples automates.
5. La tradition fait du philosophe et fabuliste grec Ésope
   (620-560 av. J.-C.) un bossu.
6. Allusion à un épisode de l'Évangile, où il est dit que Pierre
   reniera Jésus trois fois avant le chant du coq (« Et Jésus lui
   dit : Je te le dis en vérité, toi, aujourd'hui, cette nuit même,

avant que le coq chante deux fois, tu me renieras trois
fois », Marc, 14,30).

Premier acte :
Le Soir de la Faisane

1. L'ombelle est un ensemble de petites fleurs formant une coupole.
2. Ver luisant.
3. L'adjectif « roulant » renvoie ici à l'expression « il m'a roulé » (« rouler », en langage populaire, signifie « duper », « mystifier »).
4. La charge est une caricature.
5. Un basochien est un clerc, l'employé d'une étude de notaire ou d'huissier par exemple, au service d'un maître dont il apprend beaucoup. La basoche est le nom de la communauté des clercs, qui, entre autres choses plus sérieuses, se réunissaient et donnaient annuellement des fêtes réputées pour leurs représentations théâtrales très souvent parodiques. C'est bien évidemment cette dimension parodique qui intéresse Rostand et le personnage du dindon.
6. La ferme de Chantecler est une ferme du Pays basque : le piment d'Espelette, petite ville voisine de Cambo-les-Bains où Rostand s'est s'installé et a construit Arnaga, sa demeure, est très réputé.
7. La Poule Grise est victime de « l'amour de loin », thème cher à Rostand, qu'il a développé dans sa pièce *La Princesse lointaine*, jouée par Sarah Bernhardt en 1895 : un poète, Jaufré Rudel, qui a réellement existé et dont Rostand a découvert la vie à travers un essai de Gaston Paris, tombe amoureux de la princesse Mellissinde sur la seule renommée de sa beauté, sans jamais l'avoir vue, sinon par la description que lui en ont faite les pèlerins qui l'ont rencontrée. Il entreprend tout pour la voir, et, parvenu à son but, meurt heureux et comblé.
8. Manteau d'étoffe grossière utilisé par les paysans.
9. Un biset est un pigeon gris.
10. Instrument de musique, proche du trombone.

11. Étymologiquement, le terme, venant de l'anglais, signifie « science du peuple ». Il est apparu en 1872 dans la langue française sous la forme « folk-lore », comme l'écrit Rostand.

12. Saint-Roch : ce pèlerin du XIVᵉ siècle se dévoua à la lutte contre la peste qui ravageait l'Italie, avant de la contracter puis d'en guérir. On l'invoque pour se protéger de cette terrible maladie. Traditionnellement, il est représenté avec son chien, un barbet.

13. Partie de la cuirasse qui protège la poitrine.

14. Le cheval de Caligula se nomme Incitatus. L'empereur romain, dans sa folie, lui fit construire des écuries magnifiques et lui décerna le titre de consul.

15. Le terme « muscadin » a été utilisé pendant la Révolution française pour désigner une partie de la jeunesse royaliste lasse des horreurs de la Terreur, qui se distinguait par son élégance recherchée. Plus généralement, « muscadin » désigne un jeune fat, d'une coquetterie ridicule dans sa mise et ses manières.

16. Peu à peu, en espagnol.

17. Comme très souvent dans l'œuvre d'Edmond Rostand, les grands passages lyriques, où s'expriment les sentiments les plus profonds et intimes du héros, ou encore les morceaux de bravoure, dans *Cyrano de Bergerac* par exemple, se caractérisent par une forme et une métrique poétiques particulières : il s'agit pour le poète de distinguer ces moments d'élévation du quotidien des personnages. C'est l'alexandrin qui est utilisé pour le langage courant des personnages ; Rostand, pour distinguer les moments singuliers, doit donc employer des formes spécifiques, ici l'ode, plus loin la stance, ou encore une métrique différente.

18. La base du bec du pigeon est recouverte par une membrane en forme de légère bosse qui permet à Rostand la métaphore du bourgeon.

19. Les pieds du pigeon sont généralement rouges ou noirs.

20. Ce passage fait écho à la fable *Le Coche et la mouche* de La Fontaine (1621-1695), que Rostand récrit à sa manière. Le coq propose une interprétation de cette fable diamétralement opposée à la morale qui lui est traditionnellement associée. Il ne présente pas la mouche comme un être inutile, insignifiant et orgueilleux, dont la taille est disproportionnée par rapport à l'ampleur de la tâche entreprise (faire avancer le coche) ; au contraire,

loin de juger sévèrement la mouche, il la présente comme ayant une action décisive sur la situation – parce qu'elle révèle une âme d'artiste, inspirée (il évoque sa « petite musique », son psaume…). On devine que Chantecler se reconnaît dans ce personnage : lui, petit coq d'une petite ferme, a l'immense devoir – et orgueil – de faire lever, par son chant, le soleil…

21. Genre de plante de la famille des rosacées.

22. Ugolin, tyran italien du XIIIe siècle immortalisé par Dante dans son *Enfer*, fut enfermé par ses ennemis dans une tour avec ses enfants et petits-enfants. Il mourut de faim après avoir dévoré sa progéniture.

23. « Fringuer » : « danser en sautillant ».

24. Étienne Mélingue (1808-1875) était un comédien, sociétaire de la Comédie-Française.

25. Un camerlingue est un cardinal qui a la charge des intérêts terrestres de la papauté (par opposition aux intérêts spirituels), et qui exerce le pouvoir temporel entre la mort d'un pape et l'élection de son successeur. Chantecler se présente ainsi comme le protecteur d'une Église composée des habitants de la ferme, Église signifiant d'abord « lieu du culte », « assemblée des fidèles ». Chantecler est le gardien de son troupeau, qu'il dirige et entoure de ses bons conseils. Mais le mot « camerlingue », surprenant dans la mesure où il est peu courant, donne aussi à Chantecler un rôle transitoire et le place, avec sa basse-cour, dans une attente : celle du retour du Christ (voir la Présentation, p. 31 *sq.*).

26. Le bon Patou paraphrase l'une des leçons données par le Christ, rapportées par les Évangiles de Matthieu et de Luc, invitant l'homme a être plus conscient de ses propres fautes et plus honnête envers lui-même : « Qu'as-tu à regarder la paille dans l'œil de ton frère ? Et la poutre qui est dans ton œil, tu ne la remarques pas ? Ou bien comment vas-tu dire à ton frère : "Attends ! que j'ôte la paille de ton œil ?" Seulement voilà : la poutre est dans ton œil ! » (Matthieu, 7, 3-4) Mais Patou, ici, se contente essentiellement de demander à Chantecler d'ouvrir les yeux.

27. Chien spécialisé dans la chasse aux rats.

28. Aujourd'hui, le nom « amour » est le plus souvent masculin au singulier et féminin au pluriel, alors que jusqu'au XVIIe siècle il était généralement féminin. Ros-

tand l'emploie au féminin singulier par commodité pour le décompte du vers.

29. Dans *Cyrano de Bergerac*, Rostand avait déjà montré les limites de l'esprit pour l'esprit et de l'art de parler à la mode, dans la scène clé du balcon (acte III, scène 7) : dans cette scène, Cyrano, caché dans l'ombre, est chargé par Christian de séduire, pour lui, grâce à son éloquence amoureuse, Roxane, la belle et fervente adepte de la préciosité et de son langage extraordinaire. Le héros, touché par la grâce de cet instant qu'il a toujours attendu, se laisse gagner par une profonde sincérité :

> CYRANO
> [...] Je crains tant que parmi notre alchimie exquise
> Le vrai du sentiment ne se volatilise,
> Que l'âme ne se vide à ces passe-temps vains,
> Et que le fin du fin ne soit la fin des fins !
>
> ROXANE
> Mais l'esprit ?...
>
> CYRANO
> Je le hais dans l'amour ! C'est un crime,
> Lorsqu'on aime, de trop prolonger cette escrime !

30. Le King-Charles est une race de chiens nains, de la famille des épagneuls. Patou, bon et gros chien de garde, suggère par cette rime qu'il ne fait même plus peur, qu'il n'inspire plus aucun respect naturel.

31. En langage populaire, le verbe « scier » signifie « ennuyer ».

32. « Exclamation dont on se sert pour marquer l'étonnement » (*GDU*).

33. Le Merle emploie le participe passé dans un sens différent de Patou : « qui connaît, par expérience, certaines précautions bonnes ou nécessaires à prendre » (*GDU*).

34. Autre espèce de chèvrefeuille.

35. « S'esbigner » signifie « s'enfuir » en langage populaire.

36. Le Lefaucheux, du nom de son inventeur, est un fusil.

37. La remarque du Merle est un jeu de mots sur les deux sens du terme : « escarpolette » signifie aussi bien « balancelle » que « légèretés sans importance ».

38. Durées d'un bail de location (comprendre : trois, six ou neuf ans).

39. En argot, « envoyer quelqu'un au bain » signifie « envoyer promener quelqu'un ».

40. Jules Michelet (1798-1874), écrivain et historien, est notamment l'auteur de *L'Oiseau* (1856). En introduction de cet essai mêlant histoire naturelle et lyrisme, il raconte

qu'un rouge-gorge lui a tenu compagnie lors de la composition du livre.

41. Le terme « kaki » était très récent au moment de l'écriture de la pièce.

42. « *Tub* » est un mot anglais apparu à la fin du XIXe siècle et désignant une large baignoire.

43. Nom d'un chat qui apparaît dans différentes fables de La Fontaine (*Le Vieux Chat et la Jeune Souris*, *Le Chat, la belette et le petit lapin* et *La Ligue des rats*).

44. Clin d'œil à la réputation de l'horlogerie suisse.

45. Le philosophe Kant est connu pour ses habitudes : ses journées étaient toujours organisées strictement de la même manière, et les habitants du petit village où il résidait savaient l'heure sans horloge, uniquement en le croisant ou en l'apercevant lors de sa promenade quotidienne, puisqu'il effectuait toujours le même trajet, à heure fixe. Notons que la Poule ne prononce pas le « t » de « Kant » pour la rime avec le vers suivant (« estomaquant »), d'où l'incompréhension première de Chantecler.

46. Marchand de vin.

47. Le perroquet est un siège pliant, mais c'est aussi une boisson mêlant menthe et pastis, d'où le jeu de mots du Merle autour du ver, homonyme de « verre ».

48. La « chaconne » est une danse.

49. Alphonse Toussenel (1803-1885) est l'auteur d'un traité d'histoire naturelle, *Le Monde des oiseaux* (1852), qui faisait encore autorité au moment où Rostand a écrit *Chantecler*. Ce que Rostand dit des transformations de la Faisane est véridique.

50. Gomme de résine que l'on extrait du thuya.

51. Le phénix est un oiseau mythologique qui a la capacité de renaître de ses cendres.

52. Ce terme désigne le faisan doré, en chinois.

53. Région du Caucase, théâtre de l'épopée de Jason, héros de la mythologie grecque chargé de récupérer la Toison d'or.

54. La Faisane rapproche son plumage de la palatine, une fourrure que les femmes d'alors portaient sur les épaules et autour du cou.

55. Qui a la forme d'un siphon ou avec un siphon.

56. Midas, le fameux roi légendaire qui reçut pour son malheur le don de transformer en or tout ce qu'il touchait, fut la dupe d'une autre histoire : juge d'un concours

musical entre l'un de ses amis et Apollon, il choisit bêtement son ami, et le dieu, pour le punir, l'affubla d'une paire d'oreilles d'âne.

57. Io est l'une des nombreuses maîtresses de Jupiter. Junon, la femme de Jupiter, la transforma en génisse pour la soustraire à son mari.

58. La mode du gilet, élément clé du costume masculin, s'est profondément transformée entre 1830 et 1848, apogée du romantisme en France.

59. Veste légère en lingerie portée autrefois dans l'intimité par les femmes.

60. Juchoir.

61. Le pseudo-proverbe de la Vieille Poule ne peut-être compris que par rapport à la réplique de Patou. Celui-ci craint, dans un premier temps, à propos de l'attitude de Chantecler face à l'invitation de la Pintade, qu'il ne cède, qu'il ne « plie ». Mais la Vieille Poule, évoquant le roseau, rappelle alors la fable *Le Chêne et le Roseau* où La Fontaine compare la résistance du chêne, qui ne peut pourtant rien contre la tornade, à la souplesse du roseau, qui « plie, mais ne romp[t] pas ». Pour la Vieille Poule, Chantecler peut donc donner l'impression de céder à la Faisane, mais il ne le fera pas. Dans un second temps, Patou évoque ses peurs à propos du chant de Chantecler, et de son secret, avec le jeu de mots sur un autre sens de « faire chanter » : « faire révéler un secret ». Le proverbe de la Vieille Poule, en ce sens, montre que la nature de Chantecler, être un roseau, est peut-être de plier face aux femmes, fantastiques tornades, mais que cette nature lui permet avant tout de chanter, d'être un mirliton (qui est d'abord une flûte pour enfant et, par extension, un refrain populaire). Peu importe si Chantecler livre son secret, puisque sa nature est d'être toujours debout pour son chant !

62. Le Dindon cite partiellement la fin d'un vers d'Horace : « *Quandoque bonus dormitat Homerus* » : « Parfois le bon Homère sommeille ». Ce vers s'emploie généralement pour faire remarquer qu'un homme de génie n'est pas toujours égal à lui-même, et que son œuvre peut comporter des faiblesses.

63. Le Merle se permet un dernier mot d'esprit avant de s'endormir. « Dormitons » est un néologisme, mélange de latin pour le radical et de français pour la terminaison.

64. La tornade passée, le roseau Chantecler s'est redressé.
65. *Propter hoc* : ici, « pour cette raison ».

DEUXIÈME ACTE :
LE MATIN DU COQ

1. Plante à fleurs jaunes.
2. La bouvière garde ou conduit les bœufs.
3. Jean-Baptiste Camille Corot (1796-1875), peintre impres-
   sionniste, est l'un des meilleurs paysagistes du XIXe siècle.
   Lorsqu'il peignait, il avait toujours à la bouche une pipe.
4. Rostand évoque dans cette scène de nombreuses espèces
   de rapaces nocturnes de la famille des chouettes ou des
   hiboux.
5. L'abside est une chapelle.
6. Du latin *benedictus* (bénie, sainte), « benoîte » signifie
   « qui affecte un air doucereux ».
7. Rostand utilise l'orthographe ancienne de « nôtres »
   pour la rime avec « rostres » au vers suivant.
8. Becs.
9. Autre orthographe pour « cou ».
10. Malveillant.
11. Le fiel est la bile des animaux, et, au sens figuré, désigne
    l'amertume. Le Grand-Duc évoque ici la douleur amère
    que ressentent les Nocturnes.
12. Inflammation du péricarde, l'enveloppe du cœur. Le
    Grand-Duc montre encore que le cœur des Nocturnes
    est touché, au sens physique comme au sens moral.
13. Par ruse.
14. Genre de palmier.
15. Diminutif de « rastacouère » (de l'espagnol *rastracuero*,
    « traîne-cuir »), qui désigne en argot un étranger menant
    grand train et dont on ne connaît pas les moyens d'exis-
    tence.
16. Griffes du coq.
17. Inflammation du globe de l'œil.
18. Genre d'insecte ailé auquel appartient le grillon.
19. Le mot « trépas » est bien évidemment synonyme de
    « mort », mais il est davantage utilisé en poésie, ce qui
    laisse penser que le Merle, esprit léger et superficiel

– pour qui la poésie n'est qu'un jeu… de mots ! –, ne prend pas au sérieux les projets des Nocturnes et leurs chances de réussite.

20. Un burgrave est un dignitaire allemand. On doit à Victor Hugo un drame mettant en scène ces hauts dignitaires, *Les Burgraves* (1843).

21. Licence poétique de Rostand. Il faut prononcer « sé » pour la rime avec « menacé ».

22. Le platine a une résistance comparable à celle du cuivre, qui est très malléable.

23. Jeu de mots entre le nom palabre et la Calabre, région d'Italie réputée pour ses bandits.

24. Bohémienne.

25. Autre synonyme de bohémienne.

26. Problème de digestion.

27. Le Merle fait référence au dicton « avoir un estomac d'autruche », que l'on réserve à certains gros mangeurs qui sont rarement malades, cet animal étant capable d'avaler des pierres sans douleur. Le Merle explique par cette image qu'il faut parfois savoir fermer l'œil, amoindrir sa conscience, si l'on veut supporter l'existence.

28. Comme à son habitude, le Merle se fait le champion du néologisme en inventant le verbe « opporter » pour « il est opportun », « c'est opportun ».

29. Comme le pressentait et le craignait Patou dans l'acte I, la Faisane parvient à faire céder Chantecler : il viendra au jour de la Pintade. Le chien avait également compris que cette première abdication n'était que le prélude et la préparation de la seconde : la Faisane s'empresse de tirer avantage de la situation et évoque le sujet tant redouté par Chantecler, le secret de son chant.

30. Rouge d'émotion. Chantecler veut savoir si la Faisane est digne de son secret en s'assurant que son désir est bien un désir profond et non une banale curiosité.

31. La macreuse est un oiseau de la famille des canards.

32. Le tuf est un minerai.

33. Les rémiges sont les plumes des ailes.

34. La conque est à la fois un mollusque et un instrument de musique de la famille des cuivres et des buccins.

35. Froment.

36. Ville de Palestine, rendue célèbre par un épisode de la Bible (Livre de Josué, 6, 1-21) : les Hébreux, arrivés en Terre promise, rencontrèrent cette ville fortifiée qui leur était un obstacle insurmontable. Dieu ordonna alors à

Josué, qui guidait les Hébreux, de les faire tous crier : ce cri détruisit les murailles de la ville.

37. Le soc est la lame de la charrue.

38. Pérorer : discourir avec emphase.

39. Barbillons : petits morceaux de chair sous le bec.

40. Le camail est une armure mais aussi un vêtement porté par les ecclésiastiques, ayant la forme d'une pèlerine.

41. Chènevière : champ où l'on cultive le chanvre.

42. Angélus : son de cloche qui se fait entendre le matin, à midi et le soir, pour indiquer aux fidèles le moment où ils doivent réciter la prière du même nom.

43. Christophe Colomb (1436 ou 1441-1506), qui découvrit l'Amérique, est le héros de cette anecdote historique devenue proverbiale. Lors d'un repas où ses détracteurs affirmaient que sa découverte était à la portée de tous, il leur proposa de faire tenir un œuf debout sur l'une de ses extrémités. Ils échouèrent tous, excepté Colomb qui y parvint en aplatissant légèrement une des extrémités de l'œuf sur une assiette. Chacun s'écria alors : « Ce n'était que ça ? ce n'est pas bien difficile », et Colomb répliqua ironiquement qu'en effet, *il suffisait d'y penser*. On évoque l'œuf de Colomb « à propos d'une chose qu'on n'a pu faire et que l'on trouve facile après coup » (*GDU*).

44. Le prophète Josué a déjà été évoqué plus haut, à propos de la Nuit et de Jéricho. Josué, pour permettre aux Hébreux d'écraser les villes qui s'opposaient à la conquête de la Terre promise, « s'adressa à Yahvé [...]. Et le soleil s'arrêta, et la lune se tint immobile au milieu du ciel, et près d'un jour entier retarda son coucher » (Livre de Josué, 10, 12-13).

45. « Couper un pont » signifie « tomber dans un piège ».

46. « Que la lumière soit », en latin *Fiat lux*, est la phrase prononcée par Dieu pour faire naître la lumière le premier jour de la Création (Genèse, 1, 3).

47. Castor et Pollux, héros jumeaux de la mythologie dont le père est traditionnellement Jupiter, ont accompli ensemble tous leurs exploits et sont inséparables l'un de l'autre.

48. Stentor est l'un des héros de la guerre de Troie, surnommé par Homère « le Guerrier à la voix d'airain ». Le Merle, toujours très subtil, semble utiliser le nom dans ses deux acceptions : « Le nom de Stentor ne périra jamais ; il restera toujours une qualification proverbiale

dont on gratifie ceux qui ont une voix forte et retentissante, ou, au figuré, ceux qui fatiguent les oreilles par l'expression répétée d'une opinion » (*GDU*).

49. Le lynx étant réputé pour son regard vif et perçant, le terme s'utilise pour désigner une personne dont l'esprit est pénétrant, habile, en l'occurrence pour tromper les gens.

50. Un Guèbre est un descendant des Perses qui a conservé, après les invasions arabes, la religion de Zoroastre, ou Zarathoustra, nommée parsisme. On pourrait penser que le Merle fait simplement étalage de son savoir et de sa culture, en réponse aux imprécations de Chantecler – qui une nouvelle fois distingue la lumière des ténèbres –, si sa remarque n'était pas aussi éclairante quant à la vision du monde que développe la pièce : « Le dualisme est la doctrine fondamentale du parsisme, antique et nouveau. Ce dualisme ne divise pas seulement le monde invisible en deux camps ; il partage aussi le monde sensible, avec tous ses habitants et toutes ses productions, en deux catégories bien tranchées ; il règne jusque dans l'homme, dans le cœur duquel il provoque de fréquentes luttes. Représenté symboliquement par la lumière et les ténèbres, il n'est autre chose au fond que l'opposition du bien et du mal, qui sont ramenés à deux principes vivants et ennemis » (*GDU*). Le parsisme est l'une des principales sources du manichéisme.

51. L'ellébore est une plante utilisée comme remède contre la folie.

52. Le Merle parodie les paroles prononcées par Ponce Pilate, administrateur romain de la Judée, rapportées par les Évangiles. Jésus, arrêté et jugé par les Pharisiens, des juifs comme lui, qui l'accusent de vouloir être le roi des juifs et changer la loi religieuse, est présenté devant Pilate pour qu'il confirme ce jugement ; le châtiment qu'on lui réserve est la mort. Pilate, ne trouvant rien à lui reprocher au terme de leur discussion, mais comprenant parfaitement que les juifs veulent sa mort, décide de laisser aux juifs le choix de sauver Jésus ou de sauver Barabbas, bandit et assassin notoire. Les juifs élisent le brigand, et Pilate se lave alors les mains devant tout le monde pour signifier qu'il n'est pas responsable de ce choix. Le Merle se place ainsi comme simple spectateur de la lutte qui va opposer Chantecler aux Nocturnes,

tout en précisant qu'il a tout fait pour sauver le coq, en le priant de renoncer à ce qu'il croit être une folie.

53. Jeu de mots sur le surnom de Louis XIV, « le Roi-Soleil », qui a repris les rênes du pouvoir des mains des ministres, à sa majorité, en affirmant : « L'État, c'est moi ! »

54. Esprit sot et léger.

55. Saint Georges, selon la légende, terrassa un monstre ou un dragon.

56. Un ragoût.

TROISIÈME ACTE
LE JOUR DE LA PINTADE

1. Le « bouquet de la Nymphe » désigne les nymphéas, des plantes aquatiques.

2. Le faune est un papillon.

3. Être malveillant et médisant.

4. Jeu de mots sur le titre de « prince de Galles » et la maladie de la « gale ».

5. Encore un néologisme du Merle : le terme résulte de l'agglomération de « Matou », surnom du chat, et de « Mathusalem », un patriarche hébreu qui vécut si vieux que son nom est devenu proverbial.

6. Nouveau jeu de mots du Merle sur trois sens du mot « chantre » : « celui qui chante » – le pinson sifflotant dans le poirier –, « celui qui célèbre » – d'où la personnification de l'arbre en Monsieur Poirier –, et « espèce de petit oiseau dont le chant est agréable ». « Le Chantre de Monsieur Poirier » est sans doute aussi un clin d'œil à la comédie d'Émile Augier, *Le Gendre de Monsieur Poirier* (1854).

7. On pourrait trouver la rime de Rostand (« ébahie »/« cobaye ») très audacieuse, mais le nom cobaye se prononçait à l'époque [Ko-ba-ie].

8. C'est en 1885 que Louis Pasteur inventa le vaccin contre la rage.

9. La Pintade se prend au jeu des néologismes : un gymkhana est une suite d'acrobaties.

10. Edward Coley Burne-Jones (1833-1898), peintre et décorateur anglais, est l'un des représentants du préraphaélisme, dont les œuvres se distinguent par l'importance donnée au décor, à la mise en scène.

11. Terme de prosodie ancienne qui ne correspond pas au type de construction utilisé par le Chœur des Abeilles.

12. John Ruskin (1819-1900) est un écrivain, peintre et critique d'art anglais.

13. Orné de pierres précieuses. Le Paon désigne, par un adjectif vieilli, ses magnifiques plumes dont les motifs ressemblent à des joyaux.

14. Préposition déjà désuète à l'époque d'Edmond Rostand, synonyme de « au milieu de ».

15. Un thesmothète était, dans la Grèce antique, un magistrat chargé « de préparer et de proposer les modifications à apporter aux lois » (*GDU*). Le Paon se présente ainsi comme celui qui fait les modes et qui décide ce qui est de bon ou de mauvais goût.

16. Tous les noms annoncés par l'Huissier-Pie sont des noms de véritables espèces de coq.

17. « Leucotite » : ce terme est absent des dictionnaires. Le mot le plus proche est « leucocyte », qui désigne un globule blanc. « Leucotite » pourrait être un néologisme signifiant « maladie du blanc » (composé du grec *leuco*, blanc, et de *tite*, suffixe employé pour désigner une maladie), ce qui prendrait sens par rapport au jeu sur les différentes couleurs de coqs dans l'ensemble de cette scène. Mais « leucotite », par ses sonorités, pourrait peut-être aussi renvoyer à « ovocyte » (de *ovo*, « œuf », et *cyte*, cellule) : selon cette hypothèse, le Coq de Ramelslohe, « un des plus récents leucotites », serait un coq des dernières couvées.

18. L'Art nouveau est un mouvement artistique qui apparaît dans les années 1890, mais dont l'influence s'achève avec la Première Guerre mondiale. Rostand doit à Alfons Mucha (1860-1939), l'artiste le plus représentatif de ce courant, l'affiche de l'une de ses pièces, *La Samaritaine*, en 1897.

19. Le coq à deux têtes, animal mythologique, était un symbole du pouvoir très répandu en Mésopotamie antique : Rostand, qui dans sa pièce veut des coqs extraordinaires mais crédibles, réduit la particularité de ce coq, qui devient ainsi le coq à deux crêtes.

20. Varna est une ville de Bulgarie.

21. L'espèce provient plus précisément du nord de la Chine.

22. Jeu de mots sur tambour-major, chef des tambours du régiment.

23. Kamaralzaman, que Rostand orthographie « Karamalza-
    man », est le héros d'une des histoires des *Mille et Une
    Nuits*.
24. Le Bantam est un coq nain.
25. Autre nom du coq sans croupion.
26. À travers l'image du kaléidoscope, le Paon insiste sur la
    double variété des coqs qui défilent : la diversité des ori-
    gines se complète d'un grand panaché de couleurs.
27. Le coq évoqué est vraisemblablement un faux coq, un
    jouet en plastique : comme pour le coucou de l'horloge,
    certains animaux de la basse-cour ne font guère de dis-
    tinction entre les créatures réelles et les inventions des
    hommes.
28. Cochinchine est le nom donné par les Français à la
    partie méridionale du Viêtnam, dont ils firent une
    colonie à la fin du XIXᵉ siècle.
29. Morceau qui se trouve au-dessus du croupion et réputé
    pour être l'un des meilleurs, de sorte que seuls les idiots
    ne le mangent pas.
30. Les « Deux Pigeons » sont les héros de la fable de La
    Fontaine du même nom, qui montre que l'amour suffit
    à tout.
31. Le *tumbler* est une « espèce de pigeon culbutant qui nous
    vient d'Angleterre » (*CDU*).
32. Le Merle évoque ici l'annexion de la Crète, en 1908, par
    la Grèce.
33. La fable *Les Deux Pigeons* de La Fontaine commence par
    ce vers : « Deux pigeons s'aimaient d'amour tendre... »
34. Mot très vieilli, synonyme d'artificier.
35. Vert.
36. Vert clair.
37. Vert émeraude.
38. Adjectif dérivé du nom Roger-Bontemps, « personnage
    symbolique dont on donne le nom aux personnes gaies
    et insouciantes » (*GDU*). L'adjectif est donc à prendre
    dans le sens de « joyeux », « gai ».
39. Bouquets formés de petites fleurs serrées les unes contre
    les autres.
40. Pierres précieuses violettes.
41. Une chandelle est une fusée de feu d'artifice qui lance
    des étoiles explosives.
42. Qui a douze branches.
43. Juron.
44. Idiot.

45. Os du talon.

46. Phineas-Taylor Barnum (1810-1891), célèbre forain américain, organisait dans son American Museum des expositions de « monstres », humains ou animaux, plus ou moins factices, comme par exemple « un nègre blanc » ou « un cheval laineux ».

47. Excroissance de couleur vive que l'on trouve sur la tête ou sous le cou du coq.

48. Perroquets.

49. Ces deux adjectifs, vraisemblament inventés par Rostand, sont respectivement dérivés du nom « bubon » et de l'adjectif « révoluté ». « Révolutipenne » signifierait alors « sens dessous dessus, complètement retourné, renversé », et « buboniforme », « déformé par des grosseurs ». Chantecler insiste sur le caractère difforme de tous les coqs qui lui ont été présentés.

50. Pot de terre muni d'une anse, qui lui donne un peu les contours d'un coq.

51. La coquecigrue est un oiseau fantastique et improbable, absurde et grotesque. Le terme, par extension, désigne une personne idiote et sotte.

52. Superbes, magnifiques.

53. L'allitération est la répétition de phonèmes consonantiques ; elle structure d'un bout à l'autre la tirade du Coq.

54. Volaille obtenue en croisant le faisan et la poule. Le terme est également utilisé pour évoquer une personne sotte, ridicule ou qui conte des sornettes.

55. Faute de typographie. Ici non mest à prendre dans le sens « erreur de fabrication ». Chantecler considère ces différentes variétés de coqs comme autant d'erreurs.

56. Diminutif de « coquard », possédant le même sens.

57. Niais.

58. Genre de passereaux.

59. Se préoccuper aveuglement d'une opinion.

60. Jean-Baptise Nicolet (1710-1796), directeur de théâtre, « s'ingéniait sans cesse à rendre son petit théâtre attrayant par la variété et la nouveauté du spectacle » (GDU). Rostand insiste sur l'intelligence du personnage.

61. Bandes d'étoffes utilisées pour embellir une tenue.

62. Personnes qui affectent des manières excentriques.

63. Pauvres d'esprit.

64. Hommes qui font les importants.

65. Capuchons.

66. Paysan qui élève des coqs.

67. Coqs castrés.

68. Style artistique en vogue au XVIIIe siècle, inspiré à la fois du baroque italien et du décor rocaille français. Par extension, l'adjectif signifie « démodé, ridiculement compliqué et tarabiscoté ».

69. Auguste Boudouresque (1835-1905), chanteur d'opéra, possédait une voix de basse. Marcel Boudouresque, dit Boudouresque fils (1862-1940), était, lui, baryton-basse.

70. Jean Elleviou (1769-1842) est un autre chanteur d'opéra.

71. Onomatopée imitant le chant du coq en allemand.

72. Onomatopée imitant le chant du coq, cette fois en anglais.

73. L'expression « croquer le marmot », légèrement déformée par Chantecler, signifie « se morfondre à attendre » (*GDU*).

74. Jeu de mots de Rostand. « Décliner » consiste à énoncer les différentes formes que revêt un mot latin suivant sa fonction dans la phrase (la déclinaison de *rosa* est généralement la première que l'on apprend). Mais par extension, le verbe peut également être utilisé dans le sens « dire, déclarer un nom » : Chantecler affirme ainsi, en « déclinant Rosa », qu'il est de son parti.

75. Chantecler évoque dans ce vers à la fois le feu de Bengale, élément de feu d'artifice que l'on utilise pour créer une lumière intense, et la rose provenant de cette région d'Inde.

76. Vases utilisés pour rafraîchir les liquides.

77. Perroquet.

78. Le catacoi est un nœud qui permet de tirer les cheveux en arrière.

79. Fébrifuges : qui font baisser la fièvre, la température du corps. Comprendre : il faut savoir garder la tête froide pour affronter le Pile Blanc.

80. La tranche-taupinière est une sorte de pioche que l'on utilise pour détruire les trous de taupe.

81. « Amusant », en argot.

82. Adjectif vieilli signifiant « qui est tordue », sous-entendu de rire.

83. Plusieurs explications possibles à ce surnom complexe : le coq, qui décline *Rosa*, mérite d'être qualifié par

l'adjectif « latin », et, puisqu'il se dit responsable de l'aurore, le nom « clarté », en rapport avec la lumière, lui convient. Dans le même ordre d'idées, la langue latine est réputée pour sa clarté, ce terme étant pris cette fois-ci dans le sens de « netteté, précision du discours ». Chantecler est donc celui qui donne une explication à tout, y compris au lever du soleil. Enfin, « Votre Clarté », dans l'Empire romain, était un « titre honorifique que l'on donnait aux représentants de l'empereur dans les provinces » (*GDU*). Chantecler serait alors le représentant sur terre de la Lumière.

84. Personne stupide.

85. La queue du paon comporte des motifs qui ressemblent à des yeux.

86. Nom savant de l'empailleur.

87. Le serin est un oiseau, mais c'est aussi, en langue familière, une personne niaise, sotte.

88. Les mandibules sont les deux parties qui forment le bec.

89. Comprendre : des grappes de bulles de savon, qui éclatent quand on essaie de les attraper.

90. L'Auguste est une sorte de clown. L'adjectif « auguste », par ailleurs, signifie ironiquement, dans l'expression « prendre l'air auguste », « se donner un air, un maintien important ». Chantecler reproche au Merle d'être une pâle imitation du Moineau parisien. Le mot est peu usité dans ce sens, et vieilli, puisque seule l'édition de 1798 du *Dictionnaire de l'Académie française* (dorénavant abrégé par les initiales *DAF*) l'évoque.

91. Pyrrhonisme : « Habitude ou affectation de douter de tout » (*DAF*, 1878).

92. Le comte de Rivarol (1753-1801) est célèbre pour avoir été « un causeur admirable, un railleur irrésistible » (*GDU*).

93. Personnage de vaudeville niais et naïf, qui donna son nom à tout homme possédant ces traits de caractère.

94. Néologisme créé par la fusion des termes « caquet » et « kimono ».

95. « C'est du chiqué » signifie « c'est du bluff, du cinéma ». Le nom « chiqué », en langage familier, désigne une attitude prétentieuse qui manque de naturel.

96. Allusion à la Samaritaine, l'un des premiers grands magasins de France.

97. Cette longue tirade de Chantecler est le pendant de celle des « Non, merci ! » de *Cyrano* (acte II, scène 8).

98. Un camelot est « un marchand ambulant qui vend des articles de pacotille, spécialement les articles dits de Paris » (*DAF*, 1932-1935).

99. Le guano est une substance issue des fientes d'oiseaux, qui servait d'engrais. Cette exclamation est un clin d'œil au mot de Cambronne, général de l'époque napoléonienne qui, refusant avec la garde impériale de se rendre à Waterloo, aurait répondu à l'offre de l'ennemi un « Merde ! » rendu célèbre par Victor Hugo dans *Les Misérables*.

100. Gavroche est l'un des personnages les plus attachants des *Misérables* de Victor Hugo : dans le roman, cet enfant des rues meurt héroïquement (« avec panache », aurait dit Cyrano) sur une des barricades des émeutes de 1832, une chanson sur les lèvres.

101. « Ne pas compter obtenir ce que l'on désire » (*DAF*, 1932-1935).

QUATRIÈME ACTE
LA NUIT DU ROSSIGNOL

1. Le tussilage est une plante aux fleurs jaunes.
2. Genre de fougère.
3. La calandre est une espèce d'alouette.
4. Sécateur fixé au bout d'une perche pour couper les rameaux auxquels sont fixés les nids de chenilles, ou plus généralement les rameaux hors d'atteinte à la main.
5. Le chardon fait partie des mauvaises herbes qui nuisent notamment à la culture des céréales. La nielle est une plante qui pousse parmi les blés. Le nom est également utilisé pour désigner une maladie du froment.
6. Fautes légères.
7. Saint François d'Assise (1182-1226), fondateur de l'ordre des franciscains, se retira dans les bois et vécut avec les bêtes sauvages ; la légende raconte qu'il parlait avec elles.
8. « Touffe de plusieurs tiges de bois qui sortent d'une même souche » (*DAF*, 1878).
9. Espèce de petit oiseau.

10. Nom d'une pièce de théâtre d'Aristophane, poète grec du Ve siècle avant J.-C., auteur également des *Oiseaux*, l'une des sources de Rostand.

11. Oiseau de la famille des fauvettes.

12. Chapeau de soldat : le Pivert de *Chantecler* apparaît comme un défenseur de la langue des oiseaux.

13. Espèce de fleur de la famille des amarantes, de couleur rouge.

14. Enveloppe extérieure de la corolle de nombreuses fleurs.

15. Terme de chasse pour désigner la rosée.

16. Une plume de couleur fauve, voire rousse. L'adjectif ne s'utilise normalement que pour désigner la robe des chevaux.

17. Oiseau de l'espèce des passereaux.

18. Plantes grasses qui poussent au milieu des pierres.

19. Autre espèce de l'ordre des passereaux.

20. Parsifal est le héros éponyme de l'opéra de Wagner (1813-1883).

21. Ce néologisme particulièrement complexe est formé à partir du nom « Philomèle », qui traditionnellement, en poésie, désigne le rossignol, et peut-être du préfixe grec *andr-*, qui signifie « homme ». Le chant du Rossignol serait ainsi un chant trop marqué par la poésie humaine, qui ne pourrait pas toucher les animaux de la forêt. Le néologisme pourrait également provenir de l'agglomération de « Philomèle » et du nom « méandre », qui désigne, en poésie, les détours empruntés par le langage. Le chant du Rossignol est peu naturel, trop complexe et emberlificoté, selon les Crapauds.

22. Un gargarisme désigne l'action de se laver la gorge, en produisant un bruit peu mélodieux. « Se gargariser » signifie également, au figuré, « savourer avec une vanité ridicule » (*DAF*, 1932-1935).

23. « Sorte d'air d'opéra, ordinairement assez court, qui n'a ni reprise, ni seconde partie » (*DAF*, 1932-1935).

24. Le Crapaud désigne par là le poète, l'expression « Prends ton luth » étant le début d'un célèbre poème de Musset, *La Nuit de Mai*.

25. L'*arioso* est un genre musical pour soliste, né au XVIe siècle. Selon le Crapaud, le Rossignol n'est pas assez moderne puisqu'il chante encore comme Musset ou Lamartine.

26. Plante.

27. Forme poétique pastorale « dont les couplets finissent par le même refrain » (*DAF*, 1878). Ici, les couplets de la villanelle se terminent par l'alternance de deux refrains différents.

28. Ruelle encadrée de murs ou de haies.

29. « Herbe aromatique de la famille des rosacées » (*DAF*, 1878). L'air sent la rose.

30. Un appeau est un sifflet qui imite la voix d'un oiseau pour l'attirer afin de le capturer. À travers cette image, le rossignol évoque les attraits de l'amour.

31. Polichinelle est un personnage ridicule de la farce italienne. Une voix de Polichinelle est une voix aiguë et chevrotante.

32. La colophane est une résine dont on se sert pour frotter les cordes d'un instrument à cordes.

33. Thème de *La Samaritaine*, l'un des premiers succès de Rostand.

34. Gros tas de buissons et de fourrés où se réfugie le gibier.

35. André Chénier (1762-1794) est un grand poète lyrique français du XVIIIᵉ siècle (auteur notamment des *Élégies*), qui au siècle suivant fut salué par la jeunesse romantique. Il mourut guillotiné pour s'être indigné des excès de la Terreur.

36. Le nécrophore est un coléoptère qui enterre les petits corps morts d'insectes ou d'animaux, pour y déposer ses œufs.

37. Nouvelle allusion à l'épisode des Évangiles déjà évoqué dans le Prélude de la pièce (voir Prélude, note 6).

38. Petite pièce soudée sur le fusil et qui sert à viser.

CHRONOLOGIE

1868. 1er avril : naissance d'Edmond Rostand, à Marseille, rue Monteaux (aujourd'hui rue Edmond-Rostand). Son père, Eugène Rostand, économiste et poète à ses heures, ayant commis une traduction de l'œuvre de Catulle, mise en vers, illustre parfaitement les aspirations et les activités de cette famille de la haute bourgeoisie marseillaise : le commerce et la finance, mais aussi les arts et les lettres. Les Rostand reçoivent Mistral et aident Lamartine à partir pour l'Orient où ils font du négoce. L'Orient, si présent dans *La Samaritaine* et dans *La Princesse lointaine*, Edmond le rencontre également et régulièrement à la paroisse Saint-Nicolas-de-Myre, église catholique grecque de rite byzantin, où il assiste aux messes dominicales en rite romain.

1884. Octobre : après deux années d'étude au lycée de Marseille, Rostand entre au collège Stanislas, où il griffonne, dans les marges de ses cahiers, ses premiers vers. Sa formation est classique. René Doumic, futur directeur de la *Revue des Deux Mondes*, est l'un de ses professeurs.

1886. Été : Rostand, en vacances avec sa famille à Luchon, rencontre Rosemonde Gérard, petite-fille du maréchal Gérard, et se lie d'abord d'amitié avec elle. C'est le début d'un important échange de lettres et de poèmes. Ils tombent rapidement amoureux, sous le regard bienveillant de leurs deux familles. Octobre : Rostand est à Paris pour suivre des études de droit, mais il est déjà décidé à devenir poète, au grand dam de ses parents.

1887. Poursuivant malgré lui ses études de droit, Rostand, poussé par son père, concourt pour le prix Maréchal de Villars, de l'Académie des arts et des lettres de Marseille. Il remporte ce prix avec un essai : *Deux Romanciers de Provence : Honoré d'Urfé et Émile Zola.*

1888. Août : Rostand s'est endetté – ce qui empire sa situation auprès de ses parents – pour monter au théâtre Cluny, avec son futur beau-frère, Henry Lee, un vaude-ville, *Le Gant rouge,* dont nous ne savons pas grand-chose. La pièce, jouée pour la première fois le 24 août, tombe après dix-sept représentations. C'est un échec : Rostand ne veut plus écrire ce type de pièce, il rêve de sujets plus grands. Les études de droit sont déjà bien loin.

1889. Rosemonde Gérard publie *Les Pipeaux*, recueil poé-tique qui obtient le prix de l'Académie.

1890. Janvier : Rostand publie son premier volume de vers, *Les Musardises.* L'édition se fait à compte d'auteur, Rose-monde ayant payé Lemerre sans le dire à Edmond. Seulement quarante exemplaires seront vendus, mais quelques critiques évoqueront favorablement l'ouvrage… Premier succès d'estime, donc, et espoir pour le poète. Avril : Rosemonde et Edmond se marient.

1891. Rostand parvient à avoir ses entrées à la Comédie-Française auprès de Jules Claretie, son administrateur. Il propose d'abord un acte, en 1891, *Les Deux Pierrots,* qui sera refusé.
Naissance de son premier fils, Maurice, qui deviendra poète et dramaturge.

1894. Naissance de son fils Jean, qui sera philosophe et bio-logiste, puis académicien en 1959.
Mai : Rostand ne désespère pas et continue à travailler. Il parvient ainsi à faire jouer, toujours à la Comédie-Fran-çaise, *Les Romanesques,* le 21 mai. Cette pièce, fort injus-tement méconnue en France, jouit d'une aura toute par-ticulière… à Broadway, sous le titre *Fantasticks,* une comédie musicale qui aujourd'hui encore est jouée avec succès. L'histoire s'inspire très librement de *Roméo et Juliette.* La pièce, quoique fort appréciée, fut peu repré-sentée en 1894 ; elle le fut davantage ensuite et servit sou-vent de première partie aux grandes productions de la Comédie-Française, quand l'usage était de jouer un texte

court avant une pièce en cinq actes. Mais l'essentiel, pour Rostand, est déjà réalisé : il est joué et bénéficie d'une certaine renommée. C'est alors qu'il rencontre Coquelin et Sarah Bernhardt.

1895. Avril : séduite par ce jeune poète merveilleux, qui compose sans cesse des vers, Sarah Bernhardt, de vingt ans son aînée, enjoint Rostand de lui écrire un rôle. L'actrice est alors à l'apogée de sa carrière, et il faut bien mesurer la consécration que représente cette demande pour Rostand : deux ans avant *Cyrano*, le destin semble lui sourire. C'est ainsi qu'il donnera, le 5 avril 1895, *La Princesse lointaine*, pièce en quatre actes et en vers, mettant en scène Jaufré Rudel, troubadour ayant réellement existé, et que Rostand avait découvert à travers un essai biographique de Gaston Paris consacré à ce poète. *La Princesse lointaine* est un succès d'estime. Sarah Bernhardt, qui a produit la pièce, a certes finalement perdu de l'argent, mais elle croit plus que jamais en son futur grand poète.

1897. Avril : aussi l'encourage-t-elle à lui écrire une nouvelle pièce pour le vendredi saint : ce sera, le 14 avril, *La Samaritaine. Évangile en trois tableaux, en vers.* La pièce, qui retranscrit assez fidèlement un épisode de l'Évangile de Jean – l'arrivée de Jésus en Samarie et la conversion d'une pécheresse –, est sans doute celle où Rostand se fait le plus mystique, où sa pensée tend le plus vers un idéal : *La Samaritaine*, en ce sens, est la clé de son œuvre.
28 décembre : triomphe de *Cyrano de Bergerac*. Rostand est décoré de la Légion d'honneur lors du dernier entracte. Les mois qui suivent, la salle ne désemplit pas. Les tournées Montcharmont, du nom de leur propriétaire, forment plusieurs troupes et diffusent la pièce dans tout le pays puis à l'étranger ; traduite dans de nombreuses langues, elle fait le tour du monde et, fait surprenant, le personnage de Cyrano devient un symbole patriotique dans tous les pays où il est mis en scène.

1898. Début de la médiatisation de l'affaire Dreyfus, condamné deux ans plus tôt. Rostand sera dreyfusard, toute sa vie, même après le succès de *Cyrano*, même après *L'Aiglon*, au grand dam de ceux qui voudraient faire de lui le chantre du nationalisme français.
Avec le succès vient l'argent, mais aussi la gloire et ses

revers : Rostand devient une figure du Tout-Paris et l'on s'arrache de ses nouvelles. Très sollicité, il offre tantôt une préface, tantôt un discours, et, parfois, des poèmes de circonstance publiés dans des revues aussi bien mondaines que littéraires. L'année 1898 s'écoule sans nouvelle œuvre, mais il a déjà un projet : raconter la triste fin d'un enfant, le fils de Napoléon.

1900. Création le 15 mars, au théâtre Sarah-Bernhardt, de *L'Aiglon*. La peur de l'échec qui l'animait a redoublé d'intensité avec le succès de *Cyrano de Bergerac* : parviendra-t-il à répéter ce coup de génie ? Le choix de son sujet est déjà une réponse : Rostand ne veut pas décevoir son public, qui s'attend à un certain type de pièce, un drame historique, célébrant les valeurs nationales. *L'Aiglon*, en réalité, est cependant plus une réflexion sur la légende napoléonienne qu'une réflexion sur l'histoire. Sarah Bernhardt est jugée merveilleuse dans le rôle d'un jeune homme qui n'a pas l'âge de son fils. La tradition fera d'ailleurs que, pendant des dizaines d'années, seules des femmes interpréteront le duc de Reichstadt. La pièce est un nouveau triomphe, à peine moins important que *Cyrano*. On est enthousiasmé par ce qui apparaît comme une violente charge anti-allemande et anti-autrichienne… On admire, mais finalement on ne comprend pas le message de Rostand, pacifiste : on croit que la pièce est un appel à la revanche, quand elle est un plaidoyer contre la guerre… et l'on veut de nouveau et plus encore que jamais faire de Rostand un nationaliste.

1901. Mai : le 30, Rostand est élu à l'Académie française ; il devient alors le plus jeune académicien. Mais, malade et las de la vie mondaine, il se réfugie à Cambo-les-Bains sur les conseils du docteur Grancher, repoussant sans cesse le jour de sa réception. Il ne sera finalement reçu que le 4 juin 1903.

1902. Peu à peu, Rostand s'isole, trop exposé à cause de ses succès, doutant toujours plus de ses capacités à écrire un nouveau chef-d'œuvre. Il passe par de longues phases où il ne parvient pas à écrire une seule ligne. Il ne se rend qu'épisodiquement à Paris. Pourtant, il pense déjà à sa nouvelle pièce, *Chantecler* : depuis cette année au moins il s'attelle à écrire cette histoire dont tous les personnages sont des animaux. La pièce est sans cesse annoncée, sans cesse repoussée. 4 mars : à l'occasion du centenaire de la naissance de Victor Hugo, Rostand publie un hommage dans *Le Gaulois*, « Un soir à Hernani ».

1903-1908. Ses relations avec sa femme se détériorent, en même temps que sa santé. Elle prend des amants, lui des maîtresses ; on ne sait qui a commencé. En 1911, la seconde édition des *Musardises* ne comptera plus les poèmes consacrés à Rosemonde. La séparation sera définitivement consommée en 1913, même s'ils ne divorcent pas, chacun gardant auprès de lui un enfant : Jean restera avec son père, et Maurice avec Rosemonde.

1906. Rostand prend possession de la superbe villa qu'il s'est fait construire, près de Cambo-les-Bains, la Villa Arnaga.

1910. 7 février : la pièce *Chantecler*, dont le public entend parler depuis 1903, est enfin représentée au théâtre de la Porte-Saint-Martin – mais sans Coquelin : celui qui devait interpréter le rôle-titre est mort en 1909. *Chantecler* est un succès populaire mais est éreintée par la critique. Le Tout-Paris siffle le soir de la générale : la pièce, particulièrement ambitieuse, ne ressemble pas assez aux précédentes. Rostand rentre donc dans sa Villa Arnaga : il ne fera plus jouer de nouvelle pièce, trop certain désormais d'être incompris.

1911. Il écrit un long poème, *Le Cantique de l'Aile*, en l'honneur des premiers aviateurs, héros modernes, ainsi qu'une pièce, *La Dernière Nuit de Don Juan*, qui commence où s'achève le *Don Juan* de Molière. Elle ne sera publiée qu'après sa mort, de même qu'une seconde version de *La Princesse lointaine*, pourtant promise à Sarah Bernhardt.

1914-1918. La guerre semble redonner un souffle nouveau au poète. Il cherche à s'engager, sûr du bon droit de son pays, mais, à son grand désespoir, il est réformé. Il manifeste son soutien aux poilus en organisant de nombreuses journées où il récolte des fonds. Il se déplace plusieurs fois au front. Ses poèmes d'alors, réunis dans le recueil *Le Vol de la Marseillaise*, sont cependant peu réalistes : il ne s'agit plus de dénoncer l'horreur de la guerre comme dans *L'Aiglon*, mais d'encourager et de soutenir le courage des héros ordinaires. La fin de la guerre étant annoncée, il se précipite à Paris, où il contracte la grippe espagnole, sans doute lors des répétitions de *L'Aiglon*, reprise pour fêter la victoire. Rostand s'éteint le 2 décembre 1918, à l'âge de cinquante ans.

BIBLIOGRAPHIE

Œuvres d'Edmond Rostand

Œuvres complètes illustrées d'Edmond Rostand, Paris, Librairie Pierre Lafitte, 7 vol., 1910-1923 :
   Les Musardises. Le Bois Sacré. Les Romanesques.
   La Princesse Lointaine./La Samaritaine.
   Cyrano de Bergerac.
   L'Aiglon.
   Chantecler.
   Le Vol de la Marseillaise. Les Deux Pierrots.
   Le Cantique de l'Aile. La Dernière Nuit de Don Juan.
Les Musardises, Paris, A. Lemerre, 1890.
Les Musardises : édition nouvelle 1887-1893, Paris, Fasquelle, 1911.
Deux Romanciers de Provence, Honoré d'Urfé et Émile Zola, le roman sentimental et le roman naturaliste, Paris, Édouard Champion, 1921.
Discours de Réception à l'Académie française le 4 juin 1903, Paris, Fasquelle, 1926.
La Samaritaine, Évangile en trois tableaux, en vers, éd. Philippe Bulinge, L'Harmattan, 2004.

Ouvrages biographiques

Marc ANDRY, *Edmond Rostand, le panache et la gloire*, Plon, 1986.

Rosemonde GÉRARD, *Edmond Rostand*, Paris, Charpentier et Fasquelle, 1935.

Jacques LORCEY, *Edmond Rostand*, Anglet, Atlantica, 2004, 3 tomes.

Sue LOYD, *The Man Who Was Cyrano : A Life of Edmond Rostand Creator of Cyrano de Bergerac*, Unlimited Publishing, 2003.

Caroline DE MARGERIE, *Edmond Rostand ou le Baiser de la gloire*, Grasset, 1997.

Études sur l'œuvre d'Edmond Rostand

Martin Jacob PREMSELA, *Edmond Rostand*, Amsterdam, Gröningen, 1933.

Émile RIPERT, *Edmond Rostand : sa vie et son œuvre*, Hachette, 1968.

Jean SUBERVILLE, *Edmond Rostand : son théâtre, son œuvre posthume*, Paris, Étienne Chiron, 1921, 2e éd.

Études spécifiques

Jean BOURGEOIS, « *Cyrano de Bergerac* à la lumière de son doublet : *La Princesse Lointaine* », *L'Information littéraire*, 49e année, n° 3, mai-juin 1997, p. 3-8.

Ann BUGLIANI, « Man shall not live by bread alone : the biblical subtext in *Cyrano de Bergerac* », *Renascence : Essays on Values in Literature*, septembre 2003.

Philippe BULINGE, *L'Héritage de La Samaritaine dans Cyrano de Bergerac d'Edmond Rostand*, Lyon, Université Jean-Moulin – Lyon 3, 1998.

–, *L'Héroïsme dans L'Aiglon d'Edmond Rostand*, Lyon, Université Jean-Moulin – Lyon 3, 1999.

–, « La légende picturale napoléonienne dans *L'Aiglon* d'Edmond Rostand », *Littérature et peinture aux XIXe et XXe siècles*, textes réunis par Laurence Richer, Lyon, CEDIC, 2002.

Maurice DESCOTES, « L'image du Christ dans *La Samaritaine* d'Edmond Rostand », *Recueil en hommage à la mémoire d'Yves-Alain Favre*, Pau, Presses universitaires de Pau, 1993, p. 85-92.

Dorothy PAGE, *Edmond Rostand et la légende napoléonienne dans L'Aiglon*, Paris, Honoré Champion, 1928.

Paul VERNOIS, « Architecture et écriture théâtrales dans *Cyrano de Bergerac* », *Travaux de linguistique et de littérature de l'Université de Strasbourg*, IV, 2, 1966, p. 111-138.

Voir aussi le site Internet consacré à Edmond Rostand : http://edmond-rostand.chez-alice.fr

TABLE

LA PHILOSOPHIE DANS LA GF

GF-CORPUS

DERNIÈRES PARUTIONS

DERNIÈRES PARUTIONS

GF Flammarion

11/09/167134-IX-2011 – Impr. MAURY Imprimeur, 45330 Malesherbes.
N° d'édition L.01EHPNFG1271.C002. – Mars 2006. – Printed in France.